LA ÚLTIMA AMANTE DEL JEQUE

RACHAEL THOMAS

Editado por Harlequin Ibérica.
Una división de HarperCollins Ibérica, S.A.
Núñez de Balboa, 56
28001 Madrid

La última amante del jeque, n.º 2487 - 24.8.16
Título original: The Sheikh's Last Mistress
Publicada originalmente por Mills & Boon®, Ltd., Londres.

I.S.B.N.: 978-84-687-8446-5
Depósito legal: M-17040-2016
Impresión en CPI (Barcelona)
Fecha impresion para Argentina: 20.2.17
Distribuidor exclusivo para España: LOGISTA
Distribuidores para México: CODIPLYRSA y Despacho Flores
Distribuidores para Argentina: Interior, DGP, S.A. Alvarado 2118.
Cap. Fed./Buenos Aires y Gran Buenos Aires, VACCARO HNOS.

Capítulo 1

ZAFIR Al Asmari se dirigió hacia la vieja casa de ladrillo rojo con escepticismo. Aquel lugar contrastaba enormemente con el ático impoluto que había dejado en Londres. ¿Era posible que la mujer a la que estaba buscando trabajara allí? Desde luego, parecía que aquella escuela de equitación, ubicada en una zona rural de los alrededores de Londres, había conocido tiempos mejores y no era el lugar en el que había imaginado que encontraría a Destiny Richards. La fama que tenía como domadora de caballos difíciles había hecho que él hubiera ido a buscarla en persona desde Kezoban.

Zafir aparcó y se bajó del deportivo negro, sin estar seguro de si debía seguir adelante con aquella locura. Debían de haberlo informado mal. Destiny Richards no podía trabajar en un lugar tan corriente. No había nada en aquella casa, ni en los cobertizos, que indicara que fuera una hípica profesional. Estaba a punto de marcharse cuando percibió movimiento dentro de uno de los cobertizos.

Zafir avanzó movido por la curiosidad y miró dentro del edificio que se utilizaba como escuela de pupilaje. Desde la puerta vio a una mujer alta y delgada dirigiendo a un caballo que avanzaba en círculos a su alrededor. Intrigado, Zafir avanzó por el lateral del edificio con la intención de descubrir quién era aquella mujer. Si era Destiny Richards, podía quedarse tranquilo y confirmar que había hecho lo correcto al contratarla antes de conocerla en persona.

–Ah, ya ha llegado.

Zafir oyó una voz femenina que provenía de detrás de él y se volvió para ver a una mujer un poco mayor y demasiado entusiasta.

–¿Viene de parte del jeque? ¿A ver como Destiny emplea su magia con los caballos?

Zafir entornó los ojos. Su instinto le advertía que aquella mujer no era sincera. Su actitud entusiasta lo ponía nervioso, pero si pensaba que estaba allí de parte del jeque y no que era el jeque en persona, mucho mejor. Así podría comprobar si era verdad que Destiny Richards tenía el don de susurrar a los caballos y, aunque confiaba en que así fuera, en aquellos momentos tenía la sensación de haberse equivocado.

–Así es, y no tengo tiempo que perder. ¿Dónde está la señorita Richards?

–Mi hija está en la escuela. Venga por aquí –gesticuló con una sonrisa que no iluminó su mirada.

Para Zafir, las primeras impresiones eran muy importantes y, desde luego, no se había quedado impresionado. Sin embargo, debía recordar que aquella podía ser la última oportunidad para Majeed.

Sin decir nada más se dirigió hacia la escuela, consciente de que la mujer lo seguía. Entró en silencio, se apoyó en la pared y observó.

Durante unos instantes, Destiny Richards no se percató de su presencia y él no pudo evitar mirarla de arriba abajo, tal y como hacían los hombres con sangre en las venas, fijándose en su silueta y en cómo la resaltaban los pantalones de montar y la camiseta que vestía.

Tenía el cabello oscuro y lo llevaba recogido en una coleta. Era una mujer atractiva y no lo que él esperaba, especialmente después de haber conocido a su madre.

El caballo disminuyó el paso y se detuvo cuando ella se lo ordenó. Destiny esperó a que el caballo se acercara a ella y lo acarició. Zafir oyó que le susurraba palabras tranquilizadoras y percibió que el caballo tenía confianza en ella. Entonces, Destiny se volvió y lo miró a los ojos.

A pesar de la distancia, Zafir experimentó una intensa conexión con ella. Era muy bella y, por primera vez desde que había heredado el título de Jeque de Kezoban, notó que se despertaba su interés hacia todo lo que había ignorado hasta entonces. Trató de no pensar en ello. No era el momento de distraerse con una mujer, y menos cuando el protocolo de la realeza dictaba que debía elegir una esposa. Puesto que era el único miembro que quedaba de su familia, su obligación era proveer al país con un heredero.

–Destiny, este hombre viene de parte del jeque. El hombre del que te hablamos –a pesar de su sonrisa, el tono era de advertencia y se percibía que había tensión entre ellas.

Zafir se acercó a Destiny mientras la madre continuaba hablando y vio una mueca de desafío en su rostro cuando miró a su madre antes de mirarlo a él. Ella arqueó las cejas con incredulidad y apretó los labios como gesto de desaprobación. Él no pudo evitar preguntarse cómo sería besar aquellos labios y borrar su desaprobación, convencido de que sería tan intenso como la atracción que sentía hacia ella.

–Lo recuerdo –su voz era suave y delicada, pero indicaba seguridad.

Destiny dio un paso hacia él y el caballo la acompañó, permaneciendo a su lado mientras ella le estrechaba la mano y sonreía:

–Soy Destiny Richards. ¿En qué puedo ayudarlo?

Él esbozó una sonrisa. Le gustaba el carácter fuerte que ella intentaba ocultar, y le recordaba a un caballo que prefería correr en libertad a través del desierto que estar estabulado y controlado. Él había tenido que dejar de pensar en esas cosas tras la muerte de su padre, seis años atrás, cuando sus días como playboy habían terminado de golpe. Por primera vez desde ese día deseó ser libre. La atracción que sentía hacia esa mujer era tan intensa que no podía dejar de imaginar cómo sería tomarla entre sus brazos y besarla apasionadamente.

La agarró de la mano y experimentó una especie de corriente eléctrica.

–Disculpe por la intromisión. Su habilidad para trabajar con caballos traumatizados ha captado la atención del Jeque de Kezoban. Él ha llegado a un acuerdo con los propietarios de este lugar para que viaje hasta Kezoban para trabajar con su preciado semental árabe, pero me ha enviado a conocerla personalmente antes de mi regreso.

Mentir no le resultó difícil. Mantenía la cordura mediante la omisión de la verdad, convencido de que la madre de Destiny complicaría las cosas si conociera su verdadera identidad.

–Ya veo. ¿Y si no quisiera viajar a Kezoban?

–Entonces tendríamos un problema. Está todo arreglado, y pendiente de mi confirmación acerca de que realmente tiene un don especial para trabajar con caballos, tal y como le han comentado al jeque –Zafir apretó los labios. ¿Destiny habría hablado de esa manera si hubiera sabido que él era el jeque, el hombre que lo había arreglado todo para que ella se presentara en Kezoban?

–Tengo que ver al caballo antes de comprometerme a trabajar con él.

¿Era una mirada retadora la que había visto en sus ojos? A Zafir le gustaban los retos, y como única respuesta arqueó las cejas.

–¡Destiny! ¿Qué estás haciendo? –preguntó su madre sorprendida.

Él se había olvidado de que estaba allí. Durante unos instantes no había existido nada más que Destiny y él. No estaba acostumbrado a tener contacto directo con una mujer.

–Déjenos a solas –le ordenó Zafir a la mujer mayor.

Ella inclinó la cabeza y se retiró. Así que Destiny no había heredado el carácter de su madre.

–Si me disculpa, tengo que terminar con este caballo –Destiny no esperó su respuesta y se marchó.

Zafir la observó marchar, y el hecho de tener que mantener el control lo hizo sentir inquieto. Era algo completamente nuevo para él.

Decidido a cerrar el acuerdo con ella, Zafir la siguió desde la distancia mientras Destiny sacó al caballo fuera del edificio. Normalmente, él era más que capaz de reconocer a un buen caballo, pero en aquellos momentos su atención estaba centrada en aquella mujer tan atractiva. Su carácter fuerte y la seguridad que mostraba provocaron que despertara algo en el interior de Zafir. Algo que llevaba años dormido.

Deseo.

¿Y por qué con aquella mujer? Era una mujer bella, pero no tan glamurosa como las mujeres que solían gustarle antes de convertirse en el gobernador de Kezoban.

Destiny metió el caballo en el establo y cerró la puerta, dejando claro que él debía permanecer fuera. Él apoyó los brazos en lo alto de la puerta y observó cómo ella desensillaba al caballo y lo cepillaba con delicadeza.

–¿He pasado la prueba? –preguntó ella, mirándolo a los ojos.

Una vez más, él lo percibió como un reto y no podía rechazarlo.

–Sí. He visto suficiente.

–Sin embargo, usted no ha pasado mi prueba –ladeó la cabeza–. Quiero saber exactamente qué es lo que se espera de mí.

Zafir admiraba su coraje. Nadie lo retaba jamás. ¿Se habría comportado de la misma manera si hubiera sabido quién era? Por un instante estuvo tentado de contárselo, pero estaba disfrutando de aquel momento así que decidió que permitiría que ella continuara creyendo que era otra persona.

–Viajará a Kezoban y allí trabajará con Majeed, el valioso semental del jeque.

Ella lo miró mientras terminaba de cepillar el caballo. A Zafir no le gustó la mirada de desconfianza que había en sus ojos marrones, pero no le quedaba más opción que esperar pacientemente su respuesta, y no estaba acostumbrado a esperar.

–¿Qué problema tiene ese semental? –ella lo miró un instante y se acercó a la puerta del establo.

Zafir se retiró para dejarla salir, sorprendido al ver que su pregunta lo había trasladado al pasado. Sabía que eso tenía que ocurrir si lo que quería era que el caballo superara su trauma, pero no había imaginado que ocurriera tan pronto. Ni tampoco que acabaría bajo la atenta mirada de aquella mujer.

–El semental sufrió un trágico accidente que se llevó la vida de la hermana del jeque –al hablar de su hermana se sentía distante, como si aquella noche no hubiera transcurrido en realidad. A pesar de todo, no consiguió borrar el sentimiento de culpa que cargaba sobre sus hombros. Él era la persona de quien Tabinah había huido, quien la había hecho infeliz. Y eso no podría olvidarlo jamás.

Destiny miró al hombre atractivo y pensó que la ropa que llevaba no era apropiada para el tipo de hombre que parecía ser. Él iba vestido con unos pantalones vaqueros que resaltaban sus piernas musculosas y una camisa de color azul claro con el cuello desabrochado que dejaba al descubierto una fina capa de vello oscuro sobre la piel aceitunada. Ella sabía que era un hombre del desierto y, a pesar de su ropa, podía imaginarlo vestido con túnicas de color blanco. Era un hombre de aspecto poderoso y lo bastante atractivo como para que fuera capaz de derretirle el corazón. Sin embargo, por la pose que tenía y por su manera de alzar la barbilla, ella sabía también que estaba acostumbrado a dar órdenes y a que lo obedecieran.

Destiny no estaba dispuesta a permitir que nadie le diera órdenes. Ya se había hartado de ser la única que siempre debía ceder antes las exigencias de los demás. Esa vez su madrastra había llegado demasiado lejos, aceptando el trabajo antes de haber hablado con ella. Para su madrasta, lo importante siempre era el dinero, nunca la persona, y mucho menos el caballo implicado.

Su madrastra era una persona igual de fría y controladora que su padre, y por eso Destiny deseaba marcharse de su lado. No podía permanecer allí más tiempo. Los establos evocaban en ella recuerdos felices de la corta infancia que había pasado junto a su madre, antes de que falleciera, pero debía marcharse. Igual que había hecho Milly, su hermana pequeña. Y debía hacerlo antes de que su madrastra borrara por completo aquellos recuerdos.

–Siento mucho la situación en la que se encuentra el jeque, pero no puedo ayudarlo –lo miró a los ojos, tratando de enfrentarse a su poderío con decisión.

Zafir entornó sus ojos negros y apretó los dientes enojado.

–Ese no es el acuerdo al que llegué con la señora Richards. Ella me aseguró que usted estaría disponible para viajar a Kezoban inmediatamente.

Aquellas palabras le sentaron como un tiro, pero ella se mantuvo en su lugar, decidida a no permitir que aquel hombre con aire de superioridad, ni su madrasta le dieran órdenes.

–Primero, soy su hija adoptiva y, segundo, ella no tiene derecho a comprometerme de esa manera sin consultar conmigo primero. Ni siquiera con un jeque rico. Le sugiero que busque ayuda en otro lugar.

Destiny se movió hacia él para marcharse, deseando darle la espalda a aquel hombre, del que emanaba una potente mezcla de sexualidad y masculinidad que la aterrorizaba al mismo tiempo que la intrigaba. Cuando llegó a su altura, sus miradas se encontraron y ella no pudo evitar tropezar. Era imposible hacer otra cosa que no fuera pararse para mirar directamente a su rostro atractivo.

Se le formó un nudo en el estómago y notó que, como a una adolescente enamorada por primera vez, se le detenía un instante el corazón. Y no era que supiera algo sobre el amor. Siempre había huido de él, empleando a los caballos como escudo. Estaba enfadada con su madrastra y no afectada por aquel hombre exótico. Trató de recordarlo, pero resultaba difícil cuando él no dejaba de mirarla.

–El trato está hecho, señorita Richards. Viajará a Kezoban dentro de dos días –ordenó él.

Sus palabras provocaron que a ella le resultara imposible mirar hacia otro lado, a pesar de que deseaba alejarse lo máximo posible de él y del efecto que estaba teniendo sobre ella. El brillo de rabia que se percibía en sus ojos le recordaban al cielo de una noche estrellada.

Durante los últimos dieciséis años, desde que su madrastra había pasado a formar parte de su vida de forma permanente, ella había hecho todo lo que su madrastra y su padre querían que hiciera, dejando a un lado todos sus sueños y aspiraciones. Destiny había querido estar junto a Milly durante su infancia, y después la había ayudado a instalarse en Londres y a escapar del control opresivo de su padre. Y puesto que Milly ya estaba asentada y feliz, era el momento de que ella hiciera lo mismo.

Milly se había marchado de casa a principios de año y Destiny ya no tenía a nadie a quien proteger, ni a quien cuidar, más que a sí misma. Era libre para hacer lo que quisiera. Y ese hombre pensaba que podía ordenarle que fuera a un país del desierto solo porque era lo que el jeque deseaba. Era evidente que el jeque tenía dinero suficiente para contratar a los mejores profesionales del sector.

¿Era posible que aquel hombre y su extraña oferta de llevarla a un reino del desierto fuera su oportunidad de escape?

Su pasión por los caballos había sido muy intensa durante su adolescencia, y no le había dejado hueco para ningún otro tipo de pasión, dándole la excusa perfecta para escapar de la realidad. ¿Podría emplear su habilidad para conectar con los caballos como una forma de escape real?

–No me importa qué trato hayan hecho. No iré –marcharse a un país desconocido con otro hombre igual de controlador que su padre no entraba en sus planes. Lo único que deseaba era marcharse y, por muy tentadora que fuera su oferta, no era lo que necesitaba. Encontraría otra manera de conseguir su independencia económica y su libertad.

–Majeed es una criatura majestuosa. Solo quiere complacer. Es como si supiera que la mujer que lo montaba en el desierto y que se cayó de su espalda era la hermana del jeque, y como si se culpara a sí mismo.

Destiny se imaginó al caballo, pero no podía dejarse llevar por los problemas de aquel hombre. Tenía que solucionar los suyos.

–Ella murió –las palabras de Zafir eran cortantes y el sufrimiento que se percibía en ellas inundó el corazón de Destiny. Él debía apreciar al caballo y querer ayudar al jeque de verdad.

–Siento la pérdida del jeque, pero no puedo ayudarlo.

–El caballo vive atormentado. Nadie se puede aproximar a él, es casi imposible manejarlo y supone un peligro para los demás y para sí mismo. Ha pasado un año desde el accidente. Muchos han intentado apaciguarlo. Usted es la última esperanza del jeque y si no puede ayudar a Majeed solo queda una opción más.

Ella respiró hondo al oír las implicaciones de sus palabras. Él podría haber permanecido allí todo el día hablando sobre el trato que había hecho con su madrastra y ella no habría aceptado. Sin embargo, en cuanto habló del semental y ella percibió que sentía verdadera lástima por el animal, Destiny supo que iría a Kezoban.

–¿Cuáles son las condiciones del trato que ha hecho con mi madrastra? –preguntó ella mirándolo fijamente.

–El acuerdo es que usted viajara a Kezoban para trabajar con el caballo por un mínimo de dos meses. Y también hemos acordado una sustanciosa cantidad de dinero –su tono era igual de duro que antes, pero algo en su expresión se había suavizado.

¿Era cierto? No, ella debía de haberse equivocado. Aquel hombre era igual de dominante y controlador que su padre. Quizá ella fuera a utilizarlo como su oportunidad para escapar de la mano de hierro de su padre, pero no se haría ilusiones: aquel hombre era el poder personificado. Las condiciones debían quedar muy claras.

–Sin duda, la cantidad de dinero la ha acordado con mi madrastra –Destiny trató de disimular la frialdad que le producía pensar en la mujer que había reemplazado a su madre. Sabía que su padre nunca había sido un hombre feliz y cariñoso, tal y como pensaba cuando era niña. Todo había sido una farsa. El día que falleció su madre, todo cambió. Él dejó de fingir y se convirtió en un hombre frío e interesado, igual que su nueva esposa. Por eso permitía que su madrastra empleara el don de su hija para conseguir dinero de un jeque del desierto.

–Así es. Para compensar su ausencia. Usted es un valioso miembro de su equipo.

Ella deseó soltar una carcajada. Su madrastra no la valoraba y no dejaba de recordarle que no era más que una chica de las caballerizas. Era el dinero que ella podía generar lo que apreciaba.

No obstante, Destiny no podía permitir que averiguara que la oferta del jeque sería su escapatoria, su oportunidad para hacer lo que deseaba en la vida y viajar. Si entretanto podía ayudar al semental del jeque, mejor. Después de todo, era algo que se le daba bien.

–Sin duda tendré muchos gastos que cubrir –sabía que nunca recibiría dinero alguno de su madrastra, así que, tendría que conseguir su propio dinero para poder regresar a Inglaterra y empezar una nueva vida–. El doble del dinero original será suficiente, y pagándomelo a mí.

–Por supuesto –dijo él, entornando los ojos.

–Necesitaré ver al caballo primero.

–En ese caso, mi jet privado estará a su disposición para llevarla a Kezoban en cuanto esté preparada.

Zafir puso una sonrisa de satisfacción y la miró fijamente con sus ojos negros. Ella sintió un cosquilleo por dentro, pero trató de ignorarlo.

–¿Su jet privado? –desde luego, un asistente del jeque no tendría su propio jet. Lo más seguro era que se refiriera al jet del jeque, pero en aquellos momentos no tenía importancia. Ella deseaba escapar cuanto antes del lado de su padre, así que no pudo evitar sonreír a aquel atractivo desconocido que había puesto su mundo patas arriba.

Zafir estuvo a punto de confesar que el jeque era él, pero se contuvo. No podía permitir que ella rechazara su oferta. No cuando su caballo más preciado todavía vivía encerrado en la pesadilla que aconteció la noche en que su hermana falleció. Tras aquella noche, toda su vida se había descontrolado y había llegado el momento de enderezar la situación.

Desde hacía años sabía que tenía que contraer matrimonio, pero la muerte de Tabinah había puesto más presión sobre él para que cumpliera con su deber. Y lo haría, cuando Majeed estuviera curado. Solo entonces podría dejar de pensar en lo infeliz que había sido su hermana con el matrimonio que él había concertado para ella y se sentiría libre para contraer el matrimonio concertado para él.

–Disculpe, querría decir el jet privado del jeque. ¿Cerramos el trato, señorita Richards?

Trató de ignorar el sentimiento de culpa que experimentó la noche en que su hermana había salido huyendo del palacio. Habría hecho todo lo posible por retrasar el tiempo hasta el día en que ordenó a Tabinah que cumpliera con su deber y se casara con el hombre que él había elegido para ella. Él no había sido un hermano para ella, no se había dado cuenta de lo desesperada que estaba. Solo había sido el gobernador de Kezoban, sin darse cuenta de que ella lo odiaba y que solo deseaba apartarlo de su vida. Siempre se sentiría culpable por haberla hecho tan infeliz, pero calmar a Majeed, su semental traumatizado, lo ayudaría a relegar al pasado aquella noche.

Miró a Destiny y vio empatía en la mirada de sus ojos marrones, a pesar de que se enfrentaba a él con valentía. No solo estaba seguro de que poseía el don para curar a Majeed, sino que estaba seguro de que poseía la ternura que el caballo necesitaba, no como las otras personas que lo habían intentado y fracasado.

–De acuerdo. Dentro de un par de días podré estar preparada para marcharme –Zafir le tendió la mano, deseando cerrar el trato y regresar a su país. La mujer que había cautivado su atención en más de un aspecto le estrechó la mano y Zafir notó como su calor lo invadía por dentro. Era como si sus almas estuvieran uniéndose, reconociéndose una a la otra sin saberlo. Ella lo miró y Zafir percibió en su mirada la misma confusión que él sentía.

¿Habría experimentado ella la misma atracción? ¿Sentiría la conexión, como si ambos se conocieran y estuvieran predestinados a encontrarse?

Se esforzó para no pensar en ello. No tenía la posibilidad de elegir su camino en la vida, y aquella mujer, aunque era el tipo de distracción que podía haber buscado en otro momento, no era lo que necesitaba.

Ella lo intrigaba como ninguna otra mujer lo había intrigado nunca y, después de la tragedia que había vivido durante los últimos doce meses, le gustaba cómo lo hacía sentir cuando lo miraba. Tenía tanto brío como un semental y, sin embargo, se mostraba tan nerviosa como un potrillo. Ese día se había dirigido a él sin temor, pero ¿cómo sería cuando estuviera en Kezoban? ¿Seguiría mostrándose tan osada cuando supiera que él era el jeque?

–Muy bien. Regresaré y prepararé todo para su llegada.

–¿Y si considero que no soy capaz de ayudar al semental? ¿Podré marcharme?

–No será una prisionera, señora Richards. Será la invitada de honor del jeque y podrá marcharse cuando lo desee.

Capítulo 2

DESTINY observó el árido paisaje mientras el jet se preparaba para aterrizar. La parte antigua de la ciudad, que parecía tallada en el desierto, se levantaba sobre una colina rocosa y cerca de un río. Al otro lado había un edificio que por su esplendor solo podía ser el palacio del Jeque de Kezoban. A su alrededor, se erguían edificios más recientes y de aspecto más próspero y tras ellos el extenso desierto. Sentía curiosidad por todo y deseaba haber tenido más tiempo para investigar acerca de aquel lugar antes de haberse marchado de Inglaterra.

Aquel lugar sería su casa durante los dos meses siguientes y, sinceramente, estaba ilusionada con la idea de volver a ver al asistente del jeque otra vez. Fue después de que él se marchara del establo cuando ella se percató de que ni siquiera se había enterado de su nombre. Él se había encargado de mostrarse exigente y controlador con ella, sin embargo, a pesar de que solo sujetó su mano un instante, el recuerdo de ese momento inundaba sus sueños románticos.

Había algo en él, aparte de su aspecto físico, que había hecho que ella experimentara una atracción que nunca había experimentado antes. Y a pesar de mostrarse controlador, ella vio un hombre diferente cuando él se refirió al caballo del jeque.

Todavía pensaba en ello cuando el jet aterrizó y ella se asomó al desierto de Kezoban. Un vehículo negro se acercó hasta la escalera del jet y ella bajó confiando en encontrarse con un rostro conocido.

Al ver que el hombre que había conocido en los establos no estaba allí, se inquietó. Disimulando, se colocó sobre el rostro el pañuelo color crema que llevaba para cubrirse la cabeza y entró en el vehículo mientras un hombre vestido con túnicas del desierto le sujetaba la puerta con indiferencia. Si así le habían dado la bienvenida, ¿cómo sería cuando por fin conociera al jeque?

El trayecto desde el aeródromo hasta la ciudad fue muy corto. Las calles estaba llenas de gente que iba de un lado a otro y ella deseó estar entre ellos, en el anonimato, y visitar el mercado. Enseguida vio las imponentes murallas del palacio y se le formó un nudo en el estómago.

Nada más bajar del vehículo, la guiaron hasta el interior del palacio por unos escalones de mármol. Al ver que se abrían dos puertas enormes su nerviosismo aumentó. Dos empleados del palacio la acompañaron hasta dentro de la sala. La habitación estaba decorada en dorado y azul y tenía vistas a los jardines del palacio. Poco después se abrió otra puerta de la sala y, al ver al asistente del jeque se sintió aliviada. El alivio duró un instante, porque cuando los hombres que lo acompañaban hicieron una reverencia y se retiraron, dejándolos a solas, ella se sintió confusa.

Destiny miró el tocado de color blanco que resaltaba el atractivo de aquel hombre y después se percató de que él la miraba fijamente a los ojos mientras se acercaba. La túnica le quedaba mucho mejor que los pantalones vaqueros y la camisa que había llevado el primer día que lo vio. Y con la tela dorada que llevaba sobre la túnica tenía un aspecto majestuoso.

–Permita que me presente –dijo él con voz calmada–. Soy el Jeque Zafir Al Asmari de Kezoban.

–¿El asistente del jeque? –preguntó Destiny, confusa.

–No. Soy el jeque.

Él nunca había dicho su nombre, pero sin duda había permitido que ella creyera que era el asistente. ¿La había estado poniendo a prueba?

–Habría estado bien saber con quién estaba hablando cuando fue a visitarme a los establos.

Era evidente que él esperaba que ella se dirigiera a él con más respeto.

Zafir dio un paso adelante y ella trató de disimular la atracción que sentía por él, tal y como había hecho el día que se conocieron en el establo. Todo en él sugería poder y control, y era evidente que ella no había querido admitirlo para no reconocer que aquel hombre era muy parecido a su padre. Y era mucho peor, no era un mero asistente del jeque, era el jeque en persona. Un líder. Un hombre que debía tener poder, a ella no le gustaban los hombres controladores. Entonces, ¿por qué sentía un revoloteo en el vientre cuando él la miró a los ojos antes de mirarla de arriba abajo? Ella permaneció con la cabeza erguida mientras él la observaba, agradeciendo haber elegido una vestimenta adecuada a la cultura del lugar.

–Fue usted la que supuso que yo iba de parte del Jeque de Kezoban. No era mi intención confundirla, y le pido disculpas por ello. Su madrastra fue la que malinterpretó la situación y yo permití que continuara así –se acercó a Destiny, pero ella permaneció quieta, decidida a no sentirse intimidada por él–. Confío en que podamos pasar por alto el malentendido.

–He venido para trabajar con el caballo, no para emitir un juicio sobre usted –Destiny alzó la barbilla y trató de ignorar el cosquilleo que recorrió su cuerpo cuando él la miró fijamente a los ojos.

Cuando aceptó trabajar para aquel hombre, Destiny pensó que se alejaría del carácter controlador de su padre para encontrarse con otro peor. Cuánta razón tenía. El hecho de que Zafir le hubiera hecho creer que no era más que el asistente del jeque lo demostraba, pero trabajar para el jeque era el camino que ella debía recorrer para poder comenzar su nueva vida y ser independiente. Era la oportunidad que había estado buscando y la que aprovecharía, pasara lo que pasara.

Zafir se sorprendió al ver a Destiny vestida de manera respetuosa hacia la cultura de su país. Eso debería haber calmado la fuerte atracción que había sentido al verla por primera vez en Inglaterra, pero no fue así, solo sirvió para intensificarla. El día que se encontraron en el establo una atracción mutua se apoderó de ellos y, si él no estaba equivocado, ella también se negaba a admitirlo. Y eso hizo que aumentara su curiosidad por probar lo prohibido.

–Ha tenido un largo viaje. Mañana conocerá a Majeed y comenzará su trabajo. Esta noche, puesto que es mi invitada, cenará conmigo –para él era costumbre cenar con sus invitados, pero por la expresión que puso ella, estaba claro que era lo último que esperaba.

Ella lo miró con suspicacia y él se contuvo para no sonreír. Era la primera vez que una mujer se mostraba reluctante a cenar con él, pero también era la primera vez que invitaba a una mujer de otra cultura a su palacio. Antes de heredar el título de Jeque de Kezoban, siempre había mantenido sus aventuras amorosas en Londres o Nueva York.

–Gracias, pero estoy segura de que tiene cosas mucho más importantes que hacer.

Una vez más, una chispa se prendió en su interior al oír la dulce voz de Destiny. Debía de llevar demasiado tiempo viviendo con el peso del deber porque casi había olvidado lo que una fuerte atracción podía provocar en él. Sin embargo, nunca había sido tan insistente.

–Siempre me ocupo de mis invitados, señorita Richards. Usted no será una excepción.

–¿Es completamente necesario? –preguntó arqueando una ceja.

Nadie se atrevía a dirigirse a él de ese modo, ni a cuestionar sus órdenes. Él debería haberse enfadado y mostrarle que había cometido un gran error, pero no quería hacerlo. Ella no se estaba dirigiendo a él como Zafir el Jeque, sino como Zafir el hombre. Desde que había tomado el cargo de Jeque de Kezoban, tras la muerte de su padre, ningún hombre ni ninguna mujer lo había tratado como algo distinto.

–Lo es –se acercó a ella para poder inhalar su aroma floral y deseó haber pedido a todos sus empleados que salieran de la habitación. En aquel momento deseaba besarla y probar la dulzura de sus labios sensuales.

Zafir dio un paso atrás. ¿En qué estaba pensando? Era un jeque del desierto, un hombre poderoso con un deber que cumplir. Nunca podría besar a aquella mujer, por mucho que lo deseara, y menos cuando estaba como invitada en su palacio.

–Entonces, estaré contenta de hacerlo.

–Igual que yo –era cierto, él deseaba pasar la velada en su compañía–. Tenemos que hablar acerca del trabajo que piensa hacer con Majeed.

Zafir se acercó a su escritorio. Después, se volvió de nuevo hacia ella. Era necesario mantener una distancia con la bella mujer occidental que había evocado nuevas emociones y un intenso deseo en el hombre que él solía ser.

–Soy consciente de que le resultará doloroso, pero necesito saber lo que pasó aquella noche y cómo era el caballo antes del accidente.

–Y lo sabrá –pero solo lo que fuera imprescindible. Nunca confesaría que el culpable había sido él por rechazar a su hermana pequeña. Ni que el matrimonio que él había concertado para ella la había obligado a dar un paso tan drástico. No, nunca permitiría que alguien se enterara de aquello. Durante el último año él había conseguido controlar ese sentimiento de culpa, sin embargo, aquella mujer había conseguido que el sentimiento se volviera más intenso. No tenía derecho a desear a una mujer cuando estaba a punto de celebrar el matrimonio concertado para él, y menos después de que Tabinah hubiera hecho lo mismo.

Destiny siguió con nerviosismo al asistente que la guiaba hasta el interior del palacio para encontrarse con el hombre que, no podía olvidar, era el Jeque de Kezoban. Un hombre que había ocultado su identidad, aunque ella no comprendía qué había conseguido con aquello, aparte de control.

Ella debería haber sido capaz de relajarse en su lujosa habitación, con unas vistas impresionantes a los jardines del palacio, pero la idea de pasar la tarde con un hombre que la intrigaba y excitaba tanto como la enojaba con su necesidad de control, impidió que se relajara.

Estaba oscureciendo y el palacio estaba iluminado con faroles que le daban un aspecto de ensueño. De pronto, el asistente se echó a un lado y le mostró una puerta de la que salía un camino que llevaba a otra parte de los jardines del palacio. Ella vio algo que parecían tiendas cubiertas con gasas doradas y que estaban iluminadas por faroles de luz tenue. Parecía demasiado íntimo para una cena formal con el hombre que sería su jefe durante los dos meses siguientes.

Entonces, lo vio. Se había quitado el tocado y tenía un aspecto más relajado. Destiny notó que se le aceleraba el corazón. ¿Desde cuándo le pasaba eso al ver a un hombre?

–Buenas noches. Imagino que habrá descansado del viaje –comentó con un tono sensual acorde al ambiente que había creado.

Destiny sintió que el pánico se apoderaba de ella durante un instante. Como si aquel jeque poderoso pudiera estar interesado en ella. Lo más probable era que tuviera un harén lleno de mujeres bellas.

–¿Cómo no iba a descansar en una habitación tan bonita? –no fue capaz de mirarlo a los ojos y notó que se sonrojaba.

Lo miró de reojo y vio que él sonreía y se le iluminaba la mirada. Era la primera vez que ella veía una expresión así en su rostro. Era una sonrisa capaz de derretir corazones.

–Le agradezco el esfuerzo que ha hecho –comentó él–. Se ha vestido acorde con mi cultura así que esta noche quería mostrarle algunos ejemplos sobre la vida en el desierto.

–Gracias –contestó ella, sorprendida por su consideración. No era lo que esperaba de un hombre que le había ordenado que fuera a su país.

–Solo me arrepiento de no poder enseñarle el desierto verdadero.

–Esto es maravilloso –dijo ella, al entrar en la tienda. La cálida brisa movía las cortinas doradas y las velas brillaban en los faroles, proporcionando un ambiente romántico al lugar.

¿Debería sentirse preocupada? Ella miró al hombre que apenas conocía y pensó que se había puesto a su merced, a miles de kilómetros de su hogar. ¿A quién trataba de engañar? Era un rey del desierto. Un hombre cuya vida era tan diferente de la suya que nunca pensaría nada inapropiado de alguien como ella, y cuanto antes se quitara aquella idea de la cabeza, mejor.

–¿No le gusta? –preguntó él, y por su tono de voz ella se percató de que su silencio había hecho que dudara al respecto.

–Es precioso. Y totalmente perfecto.

Zafir observó a Destiny, que iba vestida con unos pantalones holgados de color blanco y una blusa larga, mientras ella miraba a su alrededor. El pañuelo rosa que llevaba en la cabeza la hacía parecer tan delicada como las flores de su jardín. Ella se fijaba en cada detalle y él deseó que se encontraran en medio del desierto, lejos de otras personas y, sobre todo, lejos de su deber.

Deseaba decirle que era lo más bello que tenía a su alrededor, pero no la había llevado hasta allí para seducirla. Aquel era su palacio, su casa, y nunca había llevado a una mujer allí, ni siquiera durante su época de playboy. Además, no podía olvidar que debía contraer matrimonio. Había muchos motivos por los que no podía distraerse con aquella mujer.

–Me complace su aprobación –contestó, tratando de emplear un tono neutral.

–Tengo ganas de conocer al caballo, mañana –lo miró–. Necesito información acerca del incidente.

–¿Con incidente se refiere a la noche en que mi hermana lo montó hasta el desierto y se topó con la muerte? –era lo último de lo que deseaba hablar. El sentimiento de culpa se apoderó de él una vez más. Compartiría cierta información con Destiny, pero no estaba preparado para contárselo todo.

–Me temo que necesitaré saberlo si quiero intentar ayudar al caballo.

La empatía que había en su mirada provocó que el sentimiento de culpa fuera mayor. Ella debía pensar que él estaba tan destrozado después de la pérdida de su hermana que ni siquiera podía hablar de ello.

–Cenaremos primero –dijo él, cuando los sirvientes llegaron con la comida. La mesa estaba decorada con colores morados y dorados, los mismos que adornaban su tienda privada cuando pasaba tiempo en el desierto, algo que hacía varias veces al año.

Ella sonrió y él vio que su tono brusco la había inquietado, pero era necesario. Cumplir con el deber implicaba no permitir que sus emociones influyeran en las decisiones que tomaba. Y el deber siempre iba por delante de todo aquello que hacía, igual que cuando concertó el matrimonio de Tabinah y no accedió a reconsiderar su decisión por mucho que ella se lo suplicara.

–No era esto lo que esperaba hacer esta noche –dijo ella, mientras se acomodaba en los cojines alrededor de la mesa baja.

Tenía la piel radiante y sus ojos brillaban por la emoción. Estaba incluso más guapa de lo que él la recordaba, y parecía no ser consciente de su belleza.

–¿Qué esperaba? ¿Que la metería en una habitación y la encerraría allí hasta que comenzara a trabajar con Majeed?

–No, eso no –dijo ella, sonrojándose. Simplemente no esperaba un trato especial, ni los esfuerzos que ha hecho por mí.

–Estás aquí como invitada mía, Destiny –era la primera vez que él la llamaba por su nombre y él deseo lo invadió por dentro–. Me gusta mostrarles a mis invitados todo lo que mi reino y su gente pueden ofrecer.

Tuvo que esforzarse para no pensar en lo que sentía al mirarla bajo la luz de los faroles. Su aspecto era tan delicado que deseaba acariciarla, disfrutar de la suavidad de su cabello oscuro y acariciárselo mientras la besaba.

¿En qué estaba pensando? No podía pensar en todo aquello solo porque ella fuera una mujer de otra cultura. Nunca podría pensar esas cosas acerca de una mujer, ni siquiera de la mujer que pronto se convertiría en su esposa.

–He venido a trabajar –dijo ella con seguridad–. Y para hacerlo, necesito información sobre algunos eventos.

Zafir esperó mientras los sirvientes recogían la mesa y observó la expresión de incredulidad que puso Destiny al ver la variedad de postres que habían puesto en una bandeja. Mientras los sirvientes se retiraban, él deseó que Destiny hubiera ido como su invitada, y que no tuviera que contarle nada acerca de la noche que murió Tabinah. Inexplicablemente, le importaba lo que aquella mujer pensara sobre él.

–Tabinah no era feliz con la idea de casarse con el

hombre que yo había elegido para ella. Era un matrimonio concertado por ambas partes, con el fin de unir dos familias ricas y poderosas. Por desgracia, Tabinah no compartía mi punto de vista respecto al deber. Ella no deseaba nada más que su libertad.

–¿Su libertad? –Destiny frunció el ceño, confusa.

–Ella decía estar enamorada de otro hombre, uno completamente inapropiado para la hermana del jeque de Kezoban –era la primera vez que le contaba a alguien que su hermana había reconocido su amor por otro hombre que no fuera con el que estaba comprometida. Él sabía que en el palacio se rumoreaba. No era idiota, sin embargo, nunca lo había admitido ante nadie.

–Lo siento –ella bajó la mirada. Era evidente que le daba vergüenza mirarlo.

–No pasa nada. En muchos matrimonios concertados el amor no existe por ningún lado –dijo él, y chasqueó los dedos para que recogieran el resto de la comida.

–Es muy triste –ella lo miró y él tuvo la sensación de que lo estaba retando–. Todo el mundo necesita amor.

–¿Has estado enamorada alguna vez, Destiny? –Zafir entornó los ojos.

Así que ella creía en el amor y en los cuentos de hadas en los que todo el mundo conseguía la felicidad eterna. Él, sin embargo, creía en la vida real.

–He recibido amor en mi vida, sí –su tono defensivo provocó que él quisiera saber más.

–Igual que yo. Amor de mi gente, de mi país y de mi familia, pero no es eso lo que te he preguntado.

¿Alguna vez has creído estar enamorada? –de pronto le importaba saber si ella había tenido las mismas ideas ridículas que Tabinah, si tenía la cabeza llena de sueños románticos.

–No –contestó Destiny. No le gustaba la manera en que él la observaba. Ella había visto amor en el diario de su madre, e incluso lo había sentido al leer sus páginas, pero el hecho de que su padre se hubiera casado de nuevo al poco tiempo de que su madre falleciera, hacía que no necesitara saber nada más del amor. Su madre había amado, pero ella nunca había sido amada. Y Destiny no permitiría que le sucediera lo mismo a ella. Solo le entregaría el corazón a un hombre que la amara de verdad.

–Y no has estado casada –dijo él.

–Mi trabajo me mantiene ocupada.

Ella se levantó de la mesa al ver que Zafir hacía lo mismo, pero cuando él se acercó a ella, no pudo ignorar que se le aceleraba el corazón. Deseó dar un paso atrás, pero sus ojos negros la tenían cautivada.

–No deberías utilizar el trabajo para esconderte –dijo con un tono sensual que la hizo estremecer.

–No lo hago –contestó a la defensiva–. Me encanta mi trabajo. Es más que solo un trabajo, y por eso estoy aquí. He venido por su caballo, y no porque mi madrastra se comprometiera con usted o porque usted me lo exigiera, sino para ayudar a su caballo.

Durante un momento pensó que había ido demasiado lejos, que había cruzado la línea del protocolo, pero lo que había dicho era verdad, había ido porque él le había insinuado que ella era la última esperanza para el caballo.

El sonido de los insectos inundaba la oscuridad del jardín y el aroma de flores exóticas era embriagador, provocando que todo, desde el hombre que tenía delante, hasta la cena que acababa de degustar, pareciera más romántico todavía. Destiny estaba cansada del viaje, sin embargo, un nuevo y extraño deseo se había apoderado de su cuerpo.

–Por eso estoy en deuda contigo. Mañana empezarás a trabajar con Majeed. Estoy seguro de que una mujer enérgica y empática como tú podrá ayudarlo.

Zafir se acercó a ella. La expresión de su rostro era de puro control y la miraba fijamente con sus ojos oscuros. ¿Estaba bromeando? No, por supuesto que no. Era un hombre poderoso acostumbrado a conseguir lo que deseaba.

–Estoy deseando ver al semental. Será un honor para mí trabajar con un animal tan majestuoso –intentó concentrarse en la conversación sobre el trabajo y no en imaginar que él la miraba con ojos de deseo.

–Sin duda será todo un reto.

–Estoy preparada para ello.

Al ver que él sonreía de verdad, ella sintió un fuerte cosquilleo en el vientre.

–He de acompañarte a su habitación. Por aquí.

Zafir señaló un camino iluminado con pequeñas lámparas que había entre las plantas. Parecía un lugar mágico. Ella caminó a su lado, consciente de su altura y de su cuerpo musculoso.

–Los jardines son preciosos. Nunca imaginé algo así en el desierto –una vez más, hablaba para no pensar en lo que él le hacía sentir.

–He pasado muchos años investigando acerca de las formas de riego en zonas desérticas y ahora soy el propietario de una empresa que se dedica a ello –se percibía orgullo en su voz–. Conseguir agua y una vida mejor para mi gente es mi pasión.

–Es impresionante. Y muy interesante.

–Me complace oírlo.

Zafir abrió una puerta que había bajo el arco de una pared blanca y dio un paso a un lado para dejarla pasar.

–Estos jardines son públicos. Puedes pasear por ellos cuando lo desees.

Ella pasó a su lado y no pudo evitar pensar en lo atractivo que era.

Reconoció la terraza de su habitación, pero antes de que pudiera decir nada él se detuvo y dijo:

–Te deseo una buena noche.

Ella lo miró.

–Gracias por una velada tan agradable.

–El placer ha sido mío.

Se hizo un silencio y Destiny notó que le costaba respirar. Por un momento pensó que él iba a besarla e inclinó su cuerpo hacia él de manera instintiva. Se detuvo justo a tiempo y dio un paso atrás.

–Buenas noches.

Capítulo 3

AQUELLA noche, Destiny no durmió mucho debido a que en sus sueños aparecía la imagen del hombre con el que había pasado la velada. Zafir se había infiltrado en su mente, y ella no podía dejar de pensar en imágenes donde aparecían juntos. Nunca se había comportado así a causa de un hombre y, enfadada por su reacción, despertó temprano y se sentó en su terraza privada para ver el amanecer.

Lo único que quería era comenzar a trabajar con el semental, pero tendría que esperar a que la acompañasen a los establos, o a cualquier otro lugar del palacio. Eso se lo habían explicado nada más llegar, y ella se sentía más como una prisionera que como una invitada.

Cuando un joven llamó a la puerta y le informó de que había ido a buscarla para acompañarla a las caballerizas, ella lo siguió por los blancos pasillos del palacio.

Una vez en los establos, el joven la presentó al encargado. Sin embargo, nada podía haberla preparado para lo que encontró al pasar un arco adornado con decoraciones de metal. A ambos lados había infinitos establos, y todos tan elaborados que era difícil pensar que allí vivían caballos. No se parecían en nada a los establos que su madre había empezado a construir y que su padre había abandonado. Ella solía pensar que era porque él había querido tanto a su esposa que no era capaz de continuar construyéndolos, pero después de que Destiny encontrara el diario de su madre, el mito se derrumbó.

–El semental del Jeque Al Asmari está en el establo del final –dijo el hombre en un inglés perfecto. Se dirigió al final del pasillo y se volvió hacia Destiny–: El caballo no saldrá de los muros del palacio. La sombra del miedo se ve en su mirada, y la de la desconfianza en su alma. Muchos han tratado de hacerse con él, pero ninguno lo ha conseguido.

–¿No ha salido de palacio en casi un año? –Destiny experimentó un instante de pánico al ver que aquel era un problema más serio de lo que esperaba.

–No desde que la hermana pequeña del jeque montó en él la noche en que ella murió.

–Entonces, tengo mucho trabajo por delante. Necesitaré pasar tiempo con el caballo antes de hacer cualquier otra cosa –estaba deseosa de empezar, necesitaba ganarse la confianza del animal. Solo entonces podría trabajar con él y predecir cuánto tiempo podría necesitar, sin embargo, ya se cuestionaba si los dos meses que el jeque la había contratado serían suficientes.

–Por aquí.

Ella siguió al hombre hasta donde estaba el caballo y no pudo evitar exclamar al ver al animal. Su pelo negro brillaba con fuerza y su aspecto era realmente majestuoso.

–Primero lo cepillaré.

El hombre inclinó la cabeza y, momentos más tarde, le entregó varios cepillos.

–Las bridas están ahí colgadas.

–Gracias –Destiny miró las bridas de cuero adornadas con borlas y dudó de si alguno de los caballos con los que había trabajado en los últimos tiempos toleraría esas cosas en sus riendas. Quizá Majeed no fuera tan difícil.

Cuando el hombre se alejó, ella entró en el establo y esperó a que el caballo aceptara su presencia.

–Eres muy bonito –le dijo ella en voz baja, esperando a que el caballo se relajara–. Casi tan bonito como tu dueño

La imagen del rostro de Zafir apareció en su cabeza con tanta claridad que Destiny se sorprendió. Solo lo había visto tres veces, sin embargo, todos los detalles de sus atractivas facciones estaban grabados en su memoria. Debía tener cuidado, lo último que deseaba era sentirse atraída por el jeque.

A Zafir le habría gustado acompañar a Destiny a las caballerizas, pero había tenido que seguir el protocolo. Ella era su invitada, una mujer británica que había contratado para un trabajo concreto y, por tanto, no estaba bien visto que le ofreciera atención extra. Y menos cuando por fin había aceptado casarse para cumplir con su deber y tener un heredero.

Nada más entrar en las caballerizas vio a Destiny entrar en el establo de Majeed, dispuesta a cepillar al animal. Nada parecido a como otras personas habían afrontado el mismo trabajo. Zafir frunció el ceño un instante y negó con la cabeza. Al fin y al cabo, había contratado a Destiny porque se la habían recomendado, así que tendría que aceptar su manera de hacer las cosas.

En silencio, se acercó al establo y sonrió al ver cómo ella se dirigía al caballo, elogiando tanto a Majeed como a su dueño. Le alegraba saber que ella no era inmune a su presencia, tal y como le había hecho creer la noche anterior. De pronto, el deseo que sentía por ella se intensificó.

La noche anterior, mientras caminaban por los jardines del palacio, él pensó que si hubieran estado en cualquier otro lugar la habría besado. Era la primera vez, desde que había prometido servir a su pueblo, que deseaba no tener que cumplir con esas obligaciones y ser libre para explorar todo aquello que pudiera surgir entre ellos. Cuando ella lo miró, él deseó tomarla entre sus brazos y besarla apasionadamente.

¿Destiny había deseado lo mismo? La observó mientras estiraba la mano para permitir que Majeed la olfateara. Ella no se movió, pero el animal se acercó. Le acarició el hocico y luego lo agarró por el bocado.

–¿Necesitas ayuda? –le preguntó.

–¿Cuánto tiempo lleva aquí? –preguntó sonrojada.

Él sabía que estaba preocupada por si había oído su comentario.

–Acabo de llegar.

Ella se relajó una pizca, y se volvió de nuevo hacia el caballo.

–Voy a cepillarlo un rato para poder tocarle todo el cuerpo y asegurarme de que no está nervioso conmigo. Después, comenzaré mi trabajo con él.

Zafir no pudo evitar imaginar cómo sería que ella lo acariciara todo el cuerpo y, por primera vez en su vida, sintió celos de un caballo. Esa mujer era capaz de provocarle nuevas emociones. ¿Cuál sería la siguiente?

La observó mientras cepillaba el lomo de Majeed. Iba vestida con unos pantalones de montar y una blusa larga que cubría sus brazos y el sexy trasero que él había podido contemplar cuando la vio por primera vez en Inglaterra. Destiny intentaba respetar las costumbres de su país en cuanto a vestimenta, todo lo que el trabajo le permitía. Él se sentía agradecido por ello, pero no podía evitar pensar en cómo le quedarían las túnicas de seda que llevaban las mujeres allí. Decidió que lo descubriría antes de que ella regresara a Inglaterra. Le regalaría las *abayas* más elegantes que encontrara.

–Muy bien, esperaré.

Destiny se volvió para mirarlo.

–¿Para qué?

Por un momento, él se quedó sin habla. Nadie le había hablado nunca con ese tono de voz.

–¿Para ver tu trabajo? –preguntó asombrado, pero al percibir que lo estaba retando con la mirada, apretó los dientes para no decir nada más.

–No trabajo con público.

–No puedes considerarme público. Soy el dueño de este caballo y, como Jeque de Kezoban, espero conseguir lo que deseo.

–Entonces, tenemos un problema.

–¿Un problema? No voy a permitir que alguien trabaje con mi caballo sin saber lo que hace con él.

Ella se apartó del caballo, dejó el cepillo en el suelo y se dirigió a la puerta.

–Entonces, parece que ambos hemos perdido el tiempo –lo miró a los ojos con decisión.

–¿Puedes ayudar a Majeed? –preguntó impaciente.

–Sí, puedo, aunque parece que el dueño también necesita ayuda.

–No estás aquí para analizarme –quizá su presencia alteraría el resultado de su trabajo con Majeed. ¿Era posible que el animal percibiera su sentimiento de culpa? Todo aquello era demasiado profundo para él. Nunca exploraba sus emociones.

–Cuando trabajo con un caballo, trabajo también con su dueño –dijo ella, arqueando las cejas con cierto aire de superioridad.

Él no pudo evitar encontrarla atractiva. Era la hora de retirarse y recuperar el control.

–Muy bien. Te veré en mi despacho esta tarde para que me des tu opinión acerca de lo que Majeed necesita.

–Gracias –ella no sonrió.

Él tampoco pudo hacerlo. Ella lo había pillado completamente desprevenido, una sensación que lo inquietaba y lo excitaba al mismo tiempo.

Esta tarde, Destiny esperaba para encontrarse con Zafir. Había pasado varias horas con Majeed, tratando de ganarse su confianza porque notaba que se mostraba temeroso. Necesitaba mucha información acerca de lo que había sucedido para que el caballo hubiera cambiado tanto. Le parecía una criatura que solo quería agradar, y por eso ella debía ir todavía más despacio.

El problema era cómo reaccionaría el dueño cuando ella tratara de investigar las causas de la muerte de su hermana.

–El jeque la recibirá ahora –le informó el asistente de Zafir.

Destiny lo siguió y cuando se detuvo delante de Zafir, vio que él la miraba de arriba abajo. Al instante, se alegró de ir completamente cubierta, acorde a la cultura del país.

–Puede retirarse –le dijo Zafir al asistente sin dejar de mirar a Destiny.

Ella se sonrojó y él señaló hacia una silla que había frente a su escritorio.

–Siéntate, por favor.

Destiny obedeció y se sentó. La habitación era muy grande, con arcadas que daban a los jardines, pero ella no podía centrarse en nada de todo aquello. Zafir había captado toda su atención. ¿Era por eso por lo que había sido tan insistente para que no se quedara a ver cómo trabajaba con el caballo? ¿Por la manera en que él la hacía sentir? ¿O porque necesitaba poner a prueba su autoridad para sentir que ella ganaba control?

–Ahora que has pasado tiempo con Majeed, ¿cuál es tu opinión como profesional?

–Majeed necesita tiempo para recuperar su confianza y enfrentarse a sus miedos. Puesto que no ha salido del palacio desde el accidente sugiero que mi trabajo ha de centrarse en conseguir ese objetivo.

Zafir asintió y se sentó en su butaca. Ella se esforzó para no pensar en su piel aceitunada y en la barba incipiente que lo hacía tan atractivo. Sin embargo, era su mirada lo que más la inquietaba, con sus ojos oscuros conseguía que ella se mostrara como una mujer que nunca había anhelado ser. Una mujer que deseaba a un hombre, y de una manera imposible de satisfacer.

–Suponía que dirías tal cosa. Mañana por la mañana saldremos a montar. Te llevaré al lugar donde encontraron a Tabinah y trataré de darte todos los detalles posibles –dijo en tono cortés.

–Eso estará bien. Comprendo que debe ser doloroso, pero es algo...

–¿Doloroso? –la interrumpió él–. ¿Por qué iba a ser doloroso?

–Debe ser difícil perder a una hermana por tener que cumplir con las tradiciones.

Zafir se puso de pie con brusquedad y la miró fijamente.

–Por tu manera de vestir, pensaba que conocías bien nuestra cultura.

Destiny frunció el ceño, sin estar segura de por qué todo había cambiado de repente. No podía permitir que él la intimidara. Estaba allí por elección suya y podría marcharse cuando quisiera. Se puso en pie, y alzó la barbilla desafiante, aunque por dentro estaba temblando.

–Siento si lo he ofendido.

–No me has ofendido. Simplemente, tus palabras estaban fuera de lugar –se acercó a ella.

–¿Fuera de lugar? –susurró ella. Apenas podía sostenerse en pie. Él estaba tan cerca que Destiny podía inhalar el aroma a desierto que desprendía su cuerpo. Pura masculinidad.

–Debía haber sido un matrimonio de conveniencia. El amor no entraba en juego. Igual que no lo hará cuando yo tome a una mujer por esposa –la miró y ella le sostuvo la mirada–. El matrimonio es un contrato, nada más.

–¿Y qué hay del amor? –no pudo evitar preguntar.

–El amor es un concepto que no está permitido en mi vida. No obstante, el deseo sí.

Ella percibía deseo en su mirada, y lo sentía con cada poro de su piel. En ese momento, él la deseaba. Confusa, dio un paso atrás y se chocó contra la silla.

–Eso es algo que desconozco.

–¿Nunca has deseado nada?

Destiny estaba segura de que estaba jugando con ella. ¿Intentaba castigarla por haber sido sincera?

–Sí, por supuesto que he deseado cosas –suspiró.

–¿A alguien?

Ella lo miró, consciente de que lo deseaba a él. ¿Qué le había hecho? Era un hombre acostumbrado a tener lo que deseaba y que probablemente tenía un harén oculto en algún lugar. Tenía que parar aquello. Estaba llegando demasiado lejos. Si no tenía cuidado, le pasaría lo mismo que a su madre y se enamoraría de un hombre que nunca la amaría.

–No. Nunca he deseado a nadie y no tengo intención de hacerlo.

–Entonces, si te acariciara el rostro ¿no temblarías de deseo por mí?

Zafir estiró el brazo y antes de que pudiera acariciarla, ella se lo apartó y lo miró enfadada.

–No estoy aquí para convertirme en una más de su harén. He venido para trabajar con su caballo. Nada más.

Él entornó los ojos y ella supo que lo había ofendido. ¿Sería porque lo había tocado o porque no se había arrodillado a sus pies, suplicándole que le hiciera el amor?

–No tengo ningún harén, y seré fiel a mi esposa desde el primer día. Hasta hoy, ninguna mujer había estado tan cerca de hacerme dudar de ello –se volvió hacia la arcada, donde el sol del atardecer iluminó su silueta.

Parecía vulnerable. Ella tragó saliva y comenzó a respirar con normalidad, aliviada de que se hubiera alejado. La noche anterior pensó que se había equivocado al pensar que él iba a besarla, pero ya no estaba tan segura. ¿Estaba haciendo algo mal? ¿Le habría transmitido un mensaje equivocado? Era una mujer virgen e ingenua que apenas había compartido un beso con un hombre y Zafir era tan poderoso que ella no podía controlar lo que sentía hacia él.

–Debes marcharte –dijo él, sin mirarla.

Ella necesitaba salir de allí, calmarse y comprender lo que estaba sucediendo entre ellos. Fuera lo que fuera, cada vez que se veían, se volvía más intenso.

Destiny se dirigió a la puerta y estaba a punto de salir cuando él la llamó:

–Destiny.

Ella se volvió, notando que le había dado un vuelco el corazón.

–¿Sí?

Él frunció el ceño y la miró.

–Has de estar preparada al amanecer.

–¿Preparada?

–Para salir a montar. Saldremos antes de que el sol esté demasiado alto.

La miró fijamente y ella no fue capaz de apartar la mirada. Asintió y, al cabo de un instante, se volvió para abrir la puerta, decidida a escapar del hechizo que él trataba de echarle.

¿Cómo era posible que deseara a un hombre tan dominante? No sabía la respuesta, pero sí que tendría que mantener sus emociones bajo control. Se parecía mucho al hombre que había dominado la vida de su madre y le había partido el corazón. Entonces, ¿por qué anhelaba que la acariciara y la besara?

Capítulo 4

ZAFIR se había despertado mucho antes de que aparecieran los primeros rayos del alba y decidió que esperaría con impaciencia en las caballerizas. Le hubiera gustado ir a la habitación de Destiny a recogerla, pero debía ceñirse al protocolo si quería evitar un escándalo y proteger su reputación. Él era el jeque y ella una mujer soltera.

El día anterior, mientras hablaba con Destiny, había echado de manera impulsiva a todos sus asistentes y, era probable que eso ya hubiera dado lugar a especulaciones acerca de por qué Destiny estaba en Kezoban. Él sabía muy bien que los rumores se extendían rápidamente por el palacio, sin embargo, se disponía a adentrarse en el desierto a solas con ella porque no quería que escuchara las historias exageradas relacionadas con la muerte de su hermana. La única manera de asegurarse era llevarla al desierto en persona y contarle únicamente lo que necesitaba saber. Aun así, se preguntaba si había perdido la cordura por completo.

Tenía un negocio que gestionar, un país que gobernar y deberes que cumplir, pero nada de ello incluía a la mujer de ojos marrones que había invadido sus sueños y provocado que deseara cosas que no podía tener.

Nervioso, se dirigió a los establos, consciente de que pronto podría escapar de los confines del palacio, al menos por un corto periodo de tiempo. Cuando atravesaba la arena y seguía el curso del río que alimentaba a su reino, era el único momento en el que se sentía con libertad para ser él mismo.

Nunca había permitido que nadie lo acompañara. ¿Significaría algo que quisiera que Destiny compartiera un momento tan íntimo con él? ¿Habría algo más entre ellos que una simple atracción? Tenía que controlar la tentación de convertirlo en algo más a pesar de que deseara explorarlo hasta que el deseo se desvaneciera, como sucedía siempre.

Al sentir movimiento a sus espaldas, se volvió y vio que Destiny se dirigía hacia él con un asistente. No pudo evitar fijarse en su agraciada manera de caminar y en lo bella que estaba. ¿Qué le pasaba? Parecía un joven que nunca había tocado a una mujer.

–Buenos días –ella sonrió cuando él le pidió al asistente que se marchara–. Me apetece mucho todo esto. Montar en el desierto, quiero decir.

Ella se sonrojó y él se llenó de satisfacción al ver que no solo quería montar en el desierto, sino pasar la mañana con él. Una vez más, la idea de tener un devaneo con aquella mujer pasó por su cabeza. Se había comprometido con su pueblo desde el primer día que tomó el cargo como gobernador de Kezoban, abandonando su vida anterior y jurando fidelidad a su gente y a su futura esposa. Sin embargo, todavía no había elegido un esposa entre las mujeres posibles y no tenía ninguna gana de hacerlo, puesto que Destiny Richards era la única mujer en la que podía pensar.

–Yo también –comentó él–. Será un honor para mí mostrarte un pedazo de mi país. Los caballos están preparados.

Se dirigió hasta una puerta abierta desde la que se veía el extenso desierto.

–Necesito ver dónde ocurrió el incidente con Majeed y su hermana.

–Iremos allí primero y luego nos relajaremos para disfrutar del paseo. Quiero que conozcas lo mejor de mi país antes de que el calor se vuelva demasiado agresivo para tu piel.

La miró fijamente y deseó besarla. Nunca había deseado tanto a una mujer.

–Debemos irnos –dijo ella con un susurro.

–Sí –contestó él, y abrió uno de los establos para sacar a la mejor de sus yeguas.

–Esta es Halima. Su nombre significa *gentil*, y la he elegido por su carácter amable y osado.

Le hubiera gustado añadir que así era como él la veía a ella, y que quizá su nombre significaba que estaba destinada a formar parte de su vida, sin embargo, al ver la ilusión con la que miraba a la yegua se quedó sin palabras.

Ella tendió la mano hacia el animar y Zafir se fijó en sus largos dedos.

–Eres muy bella –dijo Destiny sin dejar de mirar a la yegua.

Zafir se estremeció a oír sus palabras.

–Una bella yegua para una bella mujer –soltó él sin pensar.

¿Se había equivocado al expresar sus sentimientos? La expresión del rostro de Destiny le indicó que no era el momento.

–No deberías decir eso –comentó Destiny al ver que él seguía mirándola, antes de recolocarse el pañuelo sobre la cabeza. No quería sentir ese revoloteo en el estómago ni que se le acelerara el corazón por culpa del deseo que sentía hacia ese hombre. No quería que alguien tan dominante y controlador le resultara atractivo. No había estado ocultándose de los hombres para caer bajo el hechizo de aquel.

–Lo he hecho, y ahora no puedo retirarlo.

De pronto, él se movió hasta el siguiente establo y, mientras ella sujetaba las riendas de su yegua, sacó un semental gris que parecía tan poderoso como Zafir.

Destiny no dijo nada y sacó a la yegua para montarla. Cuando vio a Zafir montado en aquel semental inquieto, que no paraba de moverse en el sitio, se le formó un nudo en la garganta. Nada podía haberla preparado para aquella imagen de dominio y poderío. Él era tremendamente atractivo y Destiny deseaba que realmente se hubiera fijado en ella, que su cumplido hubiera sido real y que él también sintiera aquella chispa de deseo.

«Basta», se regañó en silencio. No estaba allí para enamorarse de un hombre, y menos de uno como el Jeque Zafir Al Asmari. Estaba allí para trabajar, para asegurarse su futuro y su nueva vida.

–¿Vamos?

Él sonrió y apremió al caballo para que echara a andar. Ella lo siguió con la yegua hasta la parte exterior del palacio. Los muros de piedra se veían a lo lejos y ya se notaba el calor del sol.

Cuando se acercaron a las imponentes murallas, un jinete se acercó a ellos y Zafir se dirigió a él en árabe. Destiny reconoció a uno de los asistentes. La conversación parecía acalorada y ella percibió que Zafir estaba enojado. Al instante, el asistente regresó a los establos.

Zafir se dirigió a ella:

–Vamos –segundos más tarde, Zafir y su semental avanzaban entre una nube de polvo.

Destiny se agarró con fuerza y puso a la yegua a galopar.

Era emocionante. El sonido de los cascos contra el suelo y el viento cálido contra su rostro. Por delante de ella, Zafir comenzó a aminorar el paso y, poco a poco, los caballos avanzaron con un ritmo tranquilo. ¿Siempre cabalgaba de esa manera o es que se había enfadado tanto con su asistente que tenía que marcharse como si lo persiguiera el diablo?

–¿Qué te ha pasado? –preguntó ella, preguntándose si había hecho algo malo al salir a montar con él. No obstante, había sido su idea.

–Mi asistente está ofendido porque vamos sin chaperón –el tono de su voz indicaba que él no compartía su punto de vista.

–¿Mi presencia supone un problema para ti? –preguntó ella, acariciando a la yegua.

–Para mí no, pero para ti, sí.

–¿Para mí? ¿Por qué?

–Yo no estoy casado. Y tú tampoco. Que estés a solas conmigo va contra mi cultura. Mi asistente me ha recordado que tengo el deber de casarme antes de que finalice el año

Ella trató de controlar el sentimiento de decepción que le provocó su comentario. Por supuesto que no debían estar juntos a solas.

–Entonces, ¿estar aquí supone un problema para ti?

–No –él la miró e hizo que su caballo se acercara al de ella–. No, para mí no es un problema. Yo quiero que estés aquí. Eres lo que Majeed necesita... Y lo que necesito yo.

Ella se quedó sin habla unos instantes, mientras los caballos avanzaban uno al lado del otro y Zafir no dejaba de mirarla. De pronto, algo se forjó entre ellos, dándole a la conversación un significado completamente diferente.

–Me gustaría hablar más sobre eso, pero primero tenemos que informarte acerca de lo que pasó la noche que Tabinah montó a Majeed y se encontró con la muerte en el camino –el tono de su voz disimulaba el sufrimiento que sentía tras la pérdida de su hermana.

Zafir detuvo al caballo y se bajó. Ella hizo lo mismo, pero al bajar se encontró cayendo entre los brazos de Zafir. Él no la soltó. La estrechó contra su cuerpo y ella se estremeció. ¿En qué estaba pensando? Allí era donde había muerto la hermana de Zafir. No debería esperar nada más de él, y menos cuando estar allí debía resultar muy doloroso para él.

Rápidamente, se liberó de entre sus brazos y, por un momento, vio una expresión de dolor y culpabilidad en el rostro de Zafir. Sin embargo, desapareció tan deprisa que no estaba segura de si la había imaginado.

–Aquí es donde se supone que Tabinah comenzó a caminar hacia el paso rocoso de las montañas. Su destino final estaba al otro lado.

–¿Tú sabías dónde se dirigía? –preguntó ella.

Él asintió. Ella deseaba preguntarle por qué Tabinah pensaba ir hasta el otro lado de las montañas, pero por algún motivo permaneció en silencio. Recordaba que él le había contado que Tabinah amaba a otro hombre, uno que él no consideraba apropiado. A Destiny se le encogió el corazón al pensar en ello. Quizá aquel hombre poderoso fuera capaz de sentir dolor. Aunque lo ocultara.

–¿Sabes lo que sucedió?

–Al anochecer hay muchas serpientes venenosas escondidas en las rocas. Creemos que Majeed molestó a una, se sobresaltó y Tabinah se cayó. Murió a causa de la mordedura de la serpiente, no de la caída.

–Majeed debe de sentirse muy culpable –susurró ella.

–¿Un caballo puede sentirse culpable?

–Por eso no se aventura a salir de los muros del palacio. Después de lo que sucedió tiene miedo y arrastra un sentimiento de culpabilidad. Por lo que he visto hasta ahora solo quiere complacer y sabe que no lo ha hecho así que no volverá aquí por miedo al castigo.

–No sé si estoy de acuerdo –dijo él, y se montó de

nuevo en el caballo–. Ahora que ya tienes la información que necesitabas, pasearemos.

Destiny se subió a la yegua y siguió a Zafir. Galopando, dejaron atrás las montañas y se adentraron en el desierto. Al sentir que el viento le retiraba el pañuelo de la cabeza y que le soltaba la melena, no pudo evitar reír a carcajadas.

Zafir se volvió y la miró, pero no disminuyó el paso tal y como ella pensó que haría.

Al cabo de un rato, Zafir aminoró el paso y ella pudo contemplar los alrededores. El sol ya estaba bastante alto y pronto haría mucho calor, pero ella confiaba en Zafir y sabía que él no la llevaría a un sitio desde el que no pudieran regresar antes de que el sol resultara abrasador.

–Aquí es donde vengo a caballo cada mañana.

Ella miró a su alrededor. Únicamente se veía arena. Nada más. Estaban los dos solos y resultaba muy íntimo. Emocionante.

–Es un sitio precioso –contestó ella mientras los caballos ascendían a lo alto de una duna. En la distancia se veían unas montañas–. Maravilloso.

–Igual que tú –comentó él, provocando que a ella le diera un vuelco el corazón.

Destiny lo miró y vio que él seguía mirándolo. Estaba muy elegante vestido con ropa del desierto. Un fuerte calor la invadió por dentro, un calor que nada tenía que ver con el sol.

Al instante, Destiny deseó que la besara mientras la estrechaba entre sus brazos. Su cuerpo estaba ardiente de deseo. Deseaba que la poseyera, entregarse a él por completo. Lo deseaba, y él la deseaba a ella.

Debería haberse dado cuenta. La atracción que había surgido en un primer momento era demasiado fuerte como para ignorarla.

–Te deseo, Zafir –dijo sin dudarlo. El corazón le latía muy deprisa, pero tenía que decírselo. Allí, lejos del palacio, parecía un hombre diferente, más relajado, como el hombre que ella pensaba que había estado a punto de besarla la primera noche. Allí, ella también se sentía diferente, como si hubiera descubierto una parte oculta de sí misma mientras cabalgaban por la arena.

El caballo de Zafir giró en redondo y pateó la arena con inquietud. Él lo tranquilizó hablándole en un idioma que ella no entendía, pero que parecía poesía.

–No puedo ofrecerte lo que estás buscando, Destiny –le dijo muy serio mientras trataba de calmar al caballo.

La yegua percibió el nerviosismo del caballo y se giró, dejando a Destiny frente a Zafir.

–¿Qué es lo que busco, Zafir? –preguntó ella, mientras la yegua giraba otra vez. Destiny sujetó las riendas con fuerza y esperó su respuesta.

–No puedo prometerte amor eterno. Ni siquiera puedo prometerte felicidad, pero puedo prometerte una noche inolvidable.

En el fondo, ella ya sabía que jamás podrían tener un futuro juntos. Sin embargo, eso no había evitado que lo deseara desde el primer momento en que lo vio en los establos.

La felicidad eterna habría estado bien. Un sueño hecho realidad. Aunque los sueños nunca se cumplían. Sin embargo, el hombre que tenía delante le ofrecía una parte de ese sueño. Una parte que ella pretendía disfrutar al máximo. Anhelaba saber lo que era el deseo y la pasión antes de regresar a Inglaterra.

–Espero que cumpla sus promesas, Alteza –bromeó ella, sintiéndose atrevida como nunca se había sentido ante un hombre. Después, apremió a la yegua para que empezara a galopar.

Al oír que Zafir la seguía de cerca, soltó una carcajada. Era completamente libre. El brillo de pasión que había visto en la mirada de Zafir provocó que se entusiasmara todavía más. Sería valiente y probaría lo que él podía ofrecerle. Aunque fuera solo una parte de su sueño y no durara más que una noche.

•

Al ver el palacio en la distancia, Zafir se sintió aliviado y enfadado al mismo tiempo. Los caballos estaban cansados y acalorados, pero a él le hubiera gustado pasar todo el día en el desierto con Destiny. Ella hacía que se sintiera vivo y que deseara comportarse de forma alocada, algo que no había sentido hacía muchos años. No obstante, una vez dentro del palacio tendría que controlar sus emociones y comportarse como correspondía al gobernador que era.

La promesa de una noche era lo único que podría ofrecerle. Ella no pertenecía a su mundo y, pronto, demasiado pronto, él tendría que elegir a una esposa para tener herederos. Su esposa necesitaría ser capaz de lidiar con la dureza que implicaba, no solo la vida del desierto, sino el hecho de estar casada con el gobernador de Kezoban. Era necesaria una mujer con la que su pueblo se sintiera identificado, alguien en quien pudieran confiar.

Destiny llevaba la melena al viento, y Zafir disminuyó el paso del caballo para poder observarla desde atrás. Se fijó en la firmeza de sus muslos y en la forma de su trasero. Era preciosa, atractiva y llena de vida. Exactamente como el tipo de mujer que le hubiera gustado tener si su cargo como gobernador de Kezoban no exigiera otra cosa.

Al recordar sus palabras, el deseo lo invadió por dentro. Ella lo deseaba, y parecía que aceptaba que no podrían tener un futuro compartido, e incluso había bromeado antes de continuar cabalgando sobre la arena. En ese momento, él supo que tenía que poseerla, que hacerla suya. Quizá no pudiera tenerla para siempre, pero sí para una noche.

Los mozos de cuadra los saludaron en cuanto atravesaron los muros del palacio. Él no pudo evitar mirar a Destiny una vez más. Estaba acalorada y sus ojos brillaban llenos de vida. La deseaba tanto que para evitar llevarla a la cama en ese mismo instante tendría que centrarse en su trabajo.

–Gracias –dijo ella al desmontar. De pronto, estaba demasiado cerca.

–¿Por qué? –preguntó él frunciendo el ceño.

–Por esto... Ha sido maravilloso. No había disfrutado de un buen paseo a galope desde que vendieron a Ellie.

–¿Quién es Ellie? –la observó mientras ella se miraba las manos como tratando de disimular sus emociones.

–Mi caballo. O lo era hasta que mi padre me

obligó a venderlo. No podía aceptar que pasara tanto tiempo con Ellie.

Zafir sabía que había algo más, era evidente que ella también ocultaba una parte de su historia.

–Lo siento. Por supuesto, puedes montar esta yegua siempre que quieras.

Destiny esperó a que los mozos de cuadra se llevaran los caballos y colocó la mano sobre el brazo de Zafir.

–Gracias por eso, y... –hizo una pausa, preguntándose si debía verbalizar su pensamiento.

En el desierto había sido completamente sincera con él, y Zafir lo había sido con ella.

–Gracias por traerme aquí y permitir que tenga la oportunidad de tener una vida nueva cuando regrese a casa –lo miró a los ojos.

Zafir percibió en ellos una mezcla de emociones antes de que ella bajara la vista.

–Es un honor para mí tenerte aquí –susurró él, y se acercó a ella. Su corazón comenzó a latir con fuerza mientras le sujetaba el rostro con delicadeza y le acariciaba las mejillas. Muy despacio, inclinó la cabeza para besarla en los labios.

Destiny notó que una ola de calor la invadía por dentro y suspiró. Inhaló su aroma masculino y se estremeció al sentir su barba incipiente contra el rostro. Deseaba abrazarlo con fuerza, rodearlo por el cuello y acariciarle el cabello. No estaba segura de cómo sabía lo que debía hacer. Simplemente tenía ganas de seguir el instinto de su cuerpo.

–Hueles bien –le susurró Zafir contra los labios.

Ella notó un fuerte revoloteo en el estómago y que le temblaban las piernas.

–Es agradable encontrar a una mujer a la que no le importa estar siempre perfumada, y viviendo la vida al máximo.

Destiny lo miró con escepticismo.

–No estoy segura de si eso es un cumplido o no –bromeó.

–Tienes un aroma especial, que no puede disimularse aunque se mezcle con el del cuero y el caballo –dijo él, esbozando una sonrisa.

Si otro hombre hubiera dicho esas mismas palabras habría sonado extraño, pero viniendo de Zafir, el hombre al que deseaba con locura, eran como dinamita. La explosión de deseo que experimentó, marcó su futuro. Ya era suya.

–¿Y eso es bueno? –bromeó ella.

–Sí, es bueno –la besó en la frente–. Admiro a las mujeres que no sienten que han de ir siempre elegantes y llenas de joyas. Eres muy diferente a todas las mujeres que he conocido antes.

Destiny no pudo evitar imaginar cómo habrían sido sus otras amantes. ¿Alguna de ella habría sido el tipo de mujer que él amaba? ¿O se estaba refiriendo a su hermana? Quizá si conociera más cosas acerca de Tabinah podría satisfacer su curiosidad, además de ayudar a Majeed.

Sin pensar en las consecuencias, preguntó:

–¿Cómo era Tabinah?

Zafir se puso tenso y ella se arrepintió de su pregunta. Sin duda, podía habérselo preguntado de otra manera. Él la soltó y dio un paso atrás.

–La manera de ser de Tabinah no tiene ninguna importancia para ti, ni para tu trabajo –soltó él enojado–. Ya has visto dónde ocurrió el incidente, y dónde encontraron a mi hermana. No necesitas saber nada más.

–Ahí es donde te equivocas –dijo ella, alejándose de él–. Si quieres que ayude a Majeed necesitaré saber mucho más de lo que estás dispuesto a contarme.

–Repito que no necesitas saber nada más acerca de mi hermana, ni de mi relación con ella.

–Estoy estableciendo mi relación con Majeed. Está empezando a confiar en mí y es una pena que su dueño no pueda hacer lo mismo.

Antes de que él pudiera contestar, Destiny salió del establo hacia el pasillo que llevaba hasta el palacio. La ira la inundaba por dentro. ¿Cómo pretendía que ella ayudara al caballo si él no tenía intención de ayudarse a sí mismo?

Una vez dentro de su habitación cerró la puerta, se apoyó en ella y empezó a temblar. Al notar que no le sujetaban las piernas se deslizó hasta el suelo. Lo que le molestaba no era la manera en la que había hablado con el jeque, ni siquiera el hecho de que él la hubiera abrazado para besarla con delicadeza. Era la manera en que había respondido ella, desde el momento en que le había confesado que lo deseaba, hasta la manera en que había permitido que la besara.

Estaba haciendo lo que sabía que no debía hacer.

Lo que le causaría problemas y le partiría el corazón. Sin embargo, no podía evitarlo, no podía evitar incendiarse por dentro cada vez que pensaba en él.

Estaba enamorándose del jeque, el diablo del desierto.

Capítulo 5

DURANTE las dos últimas semanas Zafir se había adherido a todas las reglas que había mencionado al principio del paseo a caballo el día que salieron al desierto por la mañana.

Destiny todavía podía sentir el roce de sus labios y deseaba mucho más, pero puesto que era evidente que él no lo deseaba, no podía ceder ante el deseo. Desde el día del paseo él se había comportado como un verdadero caballero en todos sus encuentros, y se había asegurado de que estuvieran acompañados en todo momento.

Zafir le había asignado una doncella y ella estaba convencida de que era para asegurarse que no se encontrarían a solas nunca más. Mina se convirtió en una buena amiga para Destiny. Poco después, Destiny recibió varias prendas de seda como las que llevaban las mujeres del reino, y trató de convencerse de que Zafir solo quería que se sintiera cómoda y se sintiera parte de la vida del palacio.

Cada vez que se encontraba con Zafir en el despacho para informarle acerca de los progresos de Majeed, un asistente estaba presente. Era evidente que durante las dos últimas semanas, Zafir se había esforzado en construir una barrera entre ellos.

El día del paseo a caballo, Destiny aceptó pasar una noche con él. Desde entonces, se agobiaba pensando cómo iba a decirle que nunca había estado con un hombre de forma íntima, y menos toda una noche. No obstante, ya no debía preocuparse. Él no había vuelto a decir nada al respecto y nada indicaba que deseara hacerlo.

Destiny había pasado varias horas con Majeed en los establos y, al verse reflejada en el espejo de su dormitorio, se dio cuenta del terrible aspecto que tenía. Parecía que no se había peinado desde hacía semanas, tenía el rostro lleno de polvo y la blusa blanca muy sucia.

Tenía un aspecto parecido al de cuando regresó de montar con Zafir aquella mañana. Ese día, él la vio tal y como era de verdad y la deseó, igual que ella lo había deseado a él.

Destiny se dio una ducha y, cuando se estaba vistiendo con uno de las túnicas que Zafir le había regalado, Mina llamó a la puerta y entró. La mujer puso una gran sonrisa de aprobación al verla vestida con una túnica de seda azul con adornos dorados.

–Su Alteza solicita que lo acompañe a la ciudad.

A Destiny se le aceleró el corazón. Zafir quería llevarla a la ciudad.

–¿He de cambiarme de ropa? –le preguntó a Mina.

–Ha elegido muy bien. Yo me alegraré de que me vean con usted –dijo Mina.

–¿De que la vean conmigo? –preguntó ella.

–No sería bueno para Su Alteza que lo vieran a solas con usted. Ahora, si está preparada, hemos de irnos.

Destiny siguió a Mina por los pasillos, tratando de

disimular su desencanto por el hecho de que Zafir y ella fueran a estar acompañados. Se preguntaba si realmente la persona que necesitaba un acompañante era ella, o era él. Nada más entrar en la sala donde Zafir la esperaba hablando con uno de sus asistentes, se le olvidaron las dudas. Zafir iba vestido con una túnica blanca y una capa dorada que acentuaba su potente masculinidad y su poderío. Al verlo, ella sintió que se le formaba un nudo en el estómago y que el deseo la invadía por dentro.

No podía apartar la mirada de él. Y por el ardor que veía en sus ojos, supo que la promesa de pasar una noche juntos todavía estaba en el aire. ¿Habría mantenido la distancia a propósito para conseguir que ella lo deseara todavía más?

Mina se retiró al fondo de la habitación, y el asistente hizo lo mismo. De pronto, parecía que estuvieran a solas otra vez. Zafir la miró, y a Destiny se le aceleró el corazón. Nunca había sentido tanta atracción por un hombre y le resultaba difícil de manejar.

Él sonrió, como si hubiese sido capaz de leer su pensamiento.

–Pensé que te gustaría ver la vida de nuestra ciudad –dijo él, mirándola de arriba abajo.

–Gracias, Alteza –contestó ella, tratando de disimular sus emociones. Era mejor que se comportara tal y como se esperaba al dirigirse a él en público–. Será muy agradable ver algo más de su país antes de que regrese a Inglaterra.

Zafir arqueó una ceja al oír sus palabras y la miró durante unos segundos. El asistente tosió desde detrás con delicadeza.

–Será un honor para mí acompañarte –inclinó la cabeza y se volvió.

Todo aquello parecía irreal y Destiny se preguntaba si no estaría soñando mientras la guiaban hasta el coche que los estaba esperando. Una vez dentro, miró a su alrededor. Zafir y ella estaban a solas.

–Nos siguen en el coche de detrás –dijo él, como si hubiera leído su pensamiento.

Ella lo miró y, al instante, deseó besarlo y abrazarlo. El recuerdo del beso que habían compartido todavía permanecía en sus labios.

Zafir se inclinó hacia delante y, por un instante, ella pensó que iba a besarla otra vez.

–¿Recuerdas lo que hablamos la mañana que salimos a montar a caballo? –le preguntó él en voz baja.

Ella no había podido pensar en nada más. Era lo que deseaba.

Al ver que Destiny no contestaba, se acercó un poco más.

–¿Todavía me deseas, Destiny?

–Sí –susurró ella.

Él le dedicó una sexy sonrisa, aunque Destiny no sabía cómo podrían pasar una noche juntos si Mina o el asistente siempre estaban presentes.

Zafir estiró el brazo y le acarició la mejilla con el dorso de la mano. Ella cerró los ojos y suspiró. Se percató de que él estaba hablando en árabe, y recordó lo diferentes que eran sus vidas. Se retiró un instante y sus miradas se encontraron. En los ojos de Zafir el deseo estaba presente.

–¿El protocolo permite que viajemos juntos? –bromeó ella, fingiendo indiferencia hacia él.

–Es un trayecto corto –dijo Zafir mientras ella miraba por la ventana con indiferencia. El hecho de que Destiny se mostrara fría y distante, solo sirvió para que aumentara el deseo que sentía hacia ella. Desde hacía dos semanas no había dejado de pensar en volver a besarla, y en mucho más–. Además, nos acompaña el conductor, aunque no comprende inglés.

–¿Y por qué nos acompañan? ¿Por qué todo esto? –ella se volvió para mirarlo.

Él tuvo que contenerse para no abrazarla. Deseaba sentir su cuerpo contra el suyo, acariciarla, y besarla como nunca había besado a otra mujer.

–Pensé que te gustaría ver algo aparte del palacio. Llevar acompañantes no solo es para complacer las expectativas del pueblo, sino por tu propio bien. No me gustaría manchar tu reputación de alguna manera.

–Oh –susurró ella–. Lo siento si te he causado algún problema.

El único problema era que le había despertado la libido, pero era un problema que pensaba solucionar en cuanto cayera la noche. Zafir había intentado ignorar lo que se había forjado entre ellos, peor no podía seguir negando el deseo que sentía por ella.

Esa noche la haría suya. No podía esperar más. Se esperaba que al cabo de unas semanas anunciara su compromiso con una mujer, sin embargo, todavía no había decidido con cuál. Trató de no pensar en el matrimonio, ya que en realidad anhelaba algo que solo Destiny le podía brindar.

–No es un problema, es nuestra manera de hacer

las cosas –se fijó en que ella tenía las manos entrelazadas sobre el regazo. Era un gesto que la hacía parecer vulnerable, y que hacía que él deseara protegerla de cualquier posible daño, e incluso de sí mismo.

El coche se detuvo frente a un hotel y, cuando se abrió la puerta, él observó que Destiny sonreía de placer. El bullicio de las calles invadía el ambiente y él la ayudó a salir del vehículo.

–Vamos –ordenó–. Iremos a dar un paseo por el mercado antes de tomar algo.

–¿Vas caminando por la calle? –preguntó ella con incredulidad.

–Si no, ¿cómo voy a enseñarte la ciudad?

–No pensaba que... Quiero decir...

–¿No pensabas que haría tal cosa? Es mi pueblo, y me siento privilegiado de poder caminar entre su gente. Es lo que se espera de mí.

Mientras paseaban, Destiny no dejaba de mirar de un lado a otro con una amplia sonrisa. Zafir decidió disfrutar de su compañía, a pesar de la constante presencia de Mina a sus espaldas. Además, así aumentaría su deseo de compartir la noche con ella, algo que tenía intención de hacer.

–Este lugar es maravilloso –dijo ella–. Los colores, los aromas, el ruido.... Todo es maravilloso.

Él la miró y vio entusiasmo en sus ojos. Era tan bella que hacía sombra a todo lo que había a su alrededor. ¿Era consciente de lo que provocaba en él? La deseaba con locura, pero ¿y si le hacía daño o infeliz? O peor aún, ¿y si la decepcionaba igual que había decepcionado a Tabinah? ¿Y si al estar con él, incluso allí en el mercado, se estaba exponiendo a un futuro lleno de infelicidad?

–¿Zafir? ¿Qué ocurre? Parece que hayas visto un fantasma.

«A lo mejor lo he visto», pensó él. «A lo mejor estoy viendo el fantasma del hombre que podría haber sido si ambos fuéramos personas diferentes».

–No, todo está bien. Me alegro de que lo estés disfrutando. Has trabajado duro con Majeed.

Ella sonrió con timidez y miró a otro lado. ¿Estaba tan poco acostumbrada a los halagos? Zafir suspiró, consciente de que aunque no quisiera admitirlo, él no era la persona que la necesitaba. A lo mejor había química entre ellos, pero ella necesitaba mucho más que eso. Algo que él no podría darle. Algo que no quería ofrecer.

–Cuando estés preparada iremos a comer algo antes de regresar al palacio. Hace más calor de lo que esperaba –comentó, tratando de disimular el sentimiento de culpa que experimentaba por haber decepcionado a Tabinah. Destiny no necesitaba conocer los detalles de la última conversación que tuvo con su hermana, porque si lo hacía nunca volvería a verlo de la misma manera.

–Tienes razón –comentó Destiny y se volvió para mirar una tela de seda roja, tratando de disimular la desilusión que sentía al notar que él se había distanciado una vez más. Su mirada se había vuelto fría, y estaba muy tenso–. Hace calor. Estoy preparada para regresar al palacio, por favor.

Momentos después, Destiny estaba de nuevo en el vehículo que los llevaría de regreso al palacio. A su lado, Zafir se mostraba taciturno.

–Tengo trabajo por hacer –dijo él, mirando al frente, como si no fuera capaz ni de mirarla.

El coche se detuvo frente al palacio y ella decidió que debía decir algo:

–¿Zafir? –él la miró fijamente después de abrir la puerta–. Gracias por esta tarde tan agradable.

«No, eso no», se regañó ella.

–Ha sido un placer –dijo él, y salió del coche para dirigirse a sus asistentes.

Entonces, un hombre abrió la puerta del lado de Destiny y ella se alegró de poder regresar a su habitación.

Se sentía más sola que nunca. Echaba de menos a su hermana, como siempre, pero no podía evitar pensar en su madre. ¿Qué le habría aconsejado ella? Destiny se mordió el labio inferior para no echarse a llorar. No podía derrumbarse solo porque Zafir se hubiera mostrado distante con ella. Era más fuerte que todo eso. La vida la había hecho mucho más fuerte.

Intentando sentir la cercanía de su madre, abrió el armario y sacó una pequeña caja en la que guardaba el diario que ella había escrito. Allí se reflejaba quién había sido su madre en realidad y ella se alegraba de haberlo encontrado en la parte de atrás del armario de su madre.

Abrió el diario por la página que siempre solía leer y acarició las letras con el dedo.

Creía haber encontrado a mi compañero del alma en el hombre con el que me casé, y ahora no sé qué hacer. Tenemos una hija preciosa y otro hijo en camino, pero mi esposo se ha vuelto un hombre frío y siento que realmente nunca sintió amor hacia mí.

Con cuidado, Destiny cerró el diario y lo guardó de nuevo en la caja para meterlo en el armario. Su madre había anhelado encontrar el amor, pero nunca llegó a hacerlo. Recrearse en el pasado no podría ayudarla, así que decidió que lo mejor sería acostarse, cerrar los ojos e intentar dormir.

Sus sueños se llenaron de imágenes del jeque al que había entregado su corazón, el hombre al que deseaba y no podía tener.

Cuando despertó, todo estaba oscuro y solo una pequeña lamparilla iluminaba la habitación. Destiny se sentó en la cama, sintiéndose todavía más agotada que antes de quedarse dormida. Sobre la mesa había una bandeja y pensó que Mina debía haberle llevado la cena mientras dormía, pero no tenía hambre.

Se sentía enjaulada y debía salir de aquella habitación. Anhelaba sentir el aire cálido de la noche sobre la piel para tratar de calmar el dolor que le había provocado Zafir con su frialdad. Jamás debería haberle dicho lo que le dijo en el desierto. Jamás debería haber expuesto su corazón, sincerándose con él acerca de sus deseos, solo para que él la ignorara como a un periódico del día anterior.

Destiny salió al jardín del palacio. Estaba oscuro, excepto por las lucecitas que marcaban los caminos. El aroma de flores exóticas inundaba el ambiente y el cielo parecía salpicado de lentejuelas.

De pronto, se estremeció, con la sensación de que Zafir estaba detrás. ¿De veras lo deseaba tanto? «Sí». Obtuvo su propia respuesta.

Casi podía sentir su mano sobre el hombro, y una ola de calor recorrió su cuerpo. Cerró los ojos e inhaló su aroma inconfundible. ¿Estaba allí de verdad? ¿Habría corrido el riesgo de ir a verla a pesar del protocolo? ¿Disfrutarían juntos de la noche?

–Destiny –su voz sexy y seductora demostró que ella no se lo había imaginado.

Ella no se atrevió a hablar para no romper el hechizo. Tenía miedo de que todo fuera un producto de su imaginación y de que al abrir los ojos se encontrara sola. Y no quería estar sola. Quería pasar la noche con Zafir. Quería ser suya mientras durara la noche.

Entonces notó que él se acercaba por la espalda y la rodeaba con los brazos, estrechándola contra su cuerpo.

–Tenía que venir –le susurró al oído–. No debería desearte, no puedo desearte, pero te deseo.

–Ninguno de nosotros debería desear esto, pero lo hacemos –susurro ella. Deseaba darse la vuelta y besarlo en los labios, pero no quería separarse ni un instante de él–. Olvidémonos del resto del mundo por unas horas, olvidémonos de todo menos de lo que sentimos ahora.

–Quiero olvidarlo todo –dijo él, y la besó en el cabello, inhalado su aroma.

–Nunca había deseado a una mujer de esta manera, pero no puedo ser como los demás hombres. Tengo una obligación con mi pueblo.

–Solo durante las horas de oscuridad –susurró ella, y abrió los ojos para mirar las estrellas–. Es todo lo que necesitamos, Zafir. Una noche.

Sabía que era lo único que podía tener y el hecho de que él no demandara nada de ella facilitaba las cosas. Él no esperaba nada y, por tanto, no exigiría nada. Estaba a salvo, y tenía todo bajo control.

Al oír que él blasfemaba, abrió los ojos por completo. Él la giró de golpe para que lo mirara, sujetándola por los brazos con firmeza.

–Eres como una bruja. Me has echado un hechizo y no puedo resistirme a ti.

–No lo hagas.

La expresión de Zafir era más dura que nunca, como si estuviera luchando con su conciencia. Destiny se sentía deseable. Ningún hombre había provocado que su cuerpo ardiera de deseo. En algún lugar de su mente oyó una vocecita que trataba de advertirle de algo, pero ella no estaba de humor para escuchar. No quería prestar atención a nada que no fuera el deseo que surgía de su interior. Anhelaba ser suya, disfrutar de aquella noche, a pesar de lo que le deparara el mañana.

Levantó la mano para acariciarle el mentón y un fuerte deseo la invadió por dentro. Sin perder un segundo, Zafir la besó apasionadamente. Introdujo la lengua en su boca y comenzó a jugar de forma erótica. Ella no podía creer que hubiera gemido de esa manera, pero aquello era justo lo que anhelaba.

Como respuesta, Zafir colocó la mano sobre la espalda de Destiny y la estrechó contra su cuerpo. Ella notó su miembro erecto contra su entrepierna y el deseo se hizo insoportable. Rodeó a Zafir por el cuello, decidida a no dejarlo marchar hasta que saciara su deseo.

–Esto es demasiado... –dijo él, acariciándole los senos antes de besarla de nuevo de forma apasionada.

Destiny sintió que le flaqueaban las piernas y gimió cuando él le acarició uno de sus pezones turgentes con el pulgar. A pesar de que la seda del vestido y la tela de encaje del sujetador apenas hacían de barrera ante su piel, no era suficiente. Ella deseaba más. Mucho más.

Se esforzó para separarse de él un instante. Le costaba respirar y experimentaba sensaciones completamente desconocidas. Con una tímida sonrisa, agarró la mano de Zafir y lo guio hasta su habitación. Él la siguió, apretándole la mano para darle el valor que ella necesitaba.

Después de estar en la oscuridad del jardín y entrar en la habitación ligeramente iluminada, él dudó un instante y retrocedió hasta la puerta. Zafir la miró confuso. ¿Se habría arrepentido de haberla ido a buscar?

–¿Qué ocurre?

–Una noche. Es todo lo que puedo ofrecerte –la advertencia era clara, pero su voz sexy llena de deseo le dio a Destiny la confianza necesaria para ser alguien diferente a la mujer que siempre había sido. Lo último que quería era que él se percatara de que era una mujer inexperta y, desde luego, no quería que se enterara de que era virgen.

–Lo sé –dijo ella, alzando la barbilla y mirándolo a los ojos–. Lo sé.

Capítulo 6

ZAFIR contempló su belleza y sintió como si le hubieran clavado una flecha en el corazón. Destiny había puesto su mundo patas arriba, provocando que él hiciera una revisión de su propia vida. Aun así, nada había cambiado. Él la deseaba y quería ser capaz de cambiar las cosas para poder estar con ella más de unas horas. Sin embargo, no podría hacerlo. Y menos cuando lo más importante en su vida era cumplir con el deber, lo único que no podía ignorar.

Pasara lo que pasara entre ellos, él seguía siendo el gobernador de Kezoban. Un gobernador sin esposa o heredero porque no quería comprometerse con nadie. Tras la muerte de Tabinah, su sentido del deber se había vuelto más fuerte que nunca. Él había obligado a su hermana a contraer matrimonio y él debía hacer lo mismo, pero solo después de haber estado con Destiny. Esa noche sería su noche.

–Ha sido casualidad que nuestras vidas se cruzaran, que nos conociéramos en Inglaterra... Una casualidad que nos brinda esta noche –él quería asegurarse de que ella supiera que aquella noche no se volvería a repetir y que nadie debía enterarse–. Mañana...

–Lo sé, Zafir –susurró ella, y se acercó más a él–.

Sé que tienes que seguir adelante con tu vida y que nadie del palacio se puede enterar.

–Es por el bien de los dos –dijo él con firmeza, aunque cada vez estaba más excitado. ¿Tenía idea de lo seductora que estaba? Sin embargo, a pesar de su manera de comportarse mostraba una inocencia que hacía que él se preguntara cuánta experiencia tenía en el campo de la seducción.

Destiny le cubrió los labios con un dedo.

–Por favor, no digas nada más.

Zafir le besó el dedo con delicadeza, se volvió y cerró la puerta del jardín antes de agarrar la mano de Destiny y llevarla hasta el dormitorio.

Inhaló su aroma seductor, ligero y floral y pensó en el verano de Inglaterra. También recordó quién era ella, y que nunca había hecho el amor con una mujer en el palacio. ¿Eso significaba que ella era diferente? Trató de no pensar en ello y centrarse en el presente, en el momento que había tratado de evitar pero que tanto deseaba desde hacía dos semanas. Destiny sería suya... Al menos, por una noche.

Destiny lo miró a los ojos y vio que él dudaba un instante, antes de que la pasión oscureciera sus ojos una vez más.

No estaba segura de quién se había movido, pero, de pronto, ella estaba entre sus brazos, exactamente donde deseaba estar. Le acarició la espalda y notó su fuerte musculatura. Él comenzó a besarla en el cuello y le acarició los senos. Ella arqueó el cuerpo hacia el de él.

Zafir comenzó a besarla en la boca de forma apasionada. Ella también lo besó, mostrándole su deseo hasta que pensó que podía desmayarse.

Él se separó un instante y ella se fijó en que iba vestido con unos pantalones de color beige y una camisa blanca de seda bordada en oro.

Destiny sonrió al pensar en que estaba viendo a Zafir sin la túnica. ¿Habría elegido esa ropa para acercarse a ella como Zafir, el hombre y no Zafir, el jeque, el gobernador de Kezoban? No pensaba preguntárselo.

–¿Por qué sonríes? –preguntó él.

–Me preguntaba si quitarte la túnica sería igual de fácil que quitarte la ropa que llevas ahora –soltó una risita con nerviosismo, percatándose de que nunca había bromeado con un hombre de esa manera. Zafir era el único hombre al que ella había permitido acercarse y el único que había provocado que deseara más, incluso que quisiera experimentar el placer de hacer el amor, aunque fuera solo durante una noche.

Lo miró de arriba abajo, imaginándolo con su túnica. Si solo podían pasar una noche juntos, nunca descubriría como quitárselas.

–Me alegro de que tu *abaya* se quite con facilidad –dijo él, besándola en los labios.

Ella intentó no pensar en la cantidad de veces que él debía de haber besado a una mujer, deseando vivir el momento y saborear cada caricia.

Arqueó el cuerpo contra el de Zafir y notó su miembro erecto. Suspiró y dejándose llevar por un instinto desconocido, movió las caderas contra las de él.

Despacio, él la empujó hacia delante para guiarla hasta la cama y tumbarla en ella. Zafir le cubrió el cuerpo con el suyo y la besó de forma salvaje. Ella pudo percibir la fuerza de su pasión, pero deseaba más. A pesar de que todavía llevaban ropa, no le cabía ninguna duda de que él la deseaba y sentía que su cuerpo iba a comenzar a arder.

Lo deseaba. Y deseaba que él fuera el primer hombre con el que hiciera el amor.

Cuando él la besó en el cuello, ella arqueó la espalda.

–Zafir... –lo llamó mientras él le acariciaba el pezón sobre la tela del *abaya*–. Te deseo, Zafir.

Destiny metió la mano entre sus cuerpos para tratar de acariciarlo. Mientras intentaba desabrocharle el pantalón, le acarició el miembro por encima de la tela. Nunca había desvestido a un hombre y, por supuesto, tampoco lo había acariciado así. Cuando por fin consiguió desabrocharle el pantalón, la tela de la ropa interior apenas disimulaba su erección.

De pronto, Zafir se separó de ella y se tumbó a su lado. Al ver que la miraba fijamente, ella se estremeció. Al ver que sacaba un paquete pequeño del bolsillo a Destiny se le aceleró el corazón y se sorprendió de que él hubiera sido tan considerado como para pensar en algo así.

–Antes de que lleguemos más lejos... –dijo él, mirándola fijamente y acariciándole el muslo hasta meter la mano bajo su ropa interior de encaje.

Ella se estremeció y se levantó una pizca para permitir que se la quitara. Él sonrió, la miró con deseo y se colocó entre sus piernas. Destiny sintió pánico. ¿Lo decepcionaría? ¿Se daría cuenta de que era inexperta? Arqueó las caderas, rindiéndose ante los anhelos de su cuerpo, y notó que él la acariciaba con su miembro antes de penetrarla.

Al notarlo en su interior y experimentar dolor, ella cerró los ojos y gimió. No podía creer que fuera cierto, que la hubiera poseído. Zafir se detuvo un instante y la miró. Ella comenzó a temblar.

–Por favor, Zafir –le dijo, mientras levantaba las caderas para animarlo a que continuara.

Como respuesta a sus súplicas, él continuó moviéndose en su interior cada vez más deprisa. Era maravilloso. Ella se sentía en el borde de un abismo, a punto de perder el equilibrio. Deseaba caer y ceder ante el placer, pero también deseaba disfrutar de estar unida a él unos segundos más.

Zafir apoyó los brazos a cada lado del cuerpo de Destiny y ella metió las manos bajo su camisa para acariciarle la espalda, desesperada por sentir la suavidad de su piel. Cada vez que él se movía, ella se sentía más cerca del límite, hasta que supo que no tenía elección. No podía aguantar más tiempo. Tenía que dejarse llevar. Echó la cabeza hacia atrás y gimió de placer. Él la penetró con fuerza, provocando que ella perdiera el control.

Despacio, Destiny abrió los ojos, consciente del peso del cuerpo de Zafir sobre el suyo. Él respiraba de forma acelerada y tenía el corazón acelerado. Había sido maravilloso, mucho más de lo que ella había soñado, pero su advertencia retumbó en su cabeza.

«Una noche. Es todo lo que puedo ofrecerte».

–Lo siento –la voz de Zafir denotaba preocupación–. No debería haberlo hecho así contigo. Debería haber tenido más consideración contigo, y haberme controlado más.

Se levantó de la cama y desapareció en el baño. A ella se le aceleró el corazón. ¿Cómo debía haber sido? ¿Debería haberle contado que nunca había tenido relaciones sexuales antes?

Destiny se sentó en la cama, se bajó el *abaya* y se llevó las rodillas al pecho. Al oír el agua en el baño, cerró los ojos para controlar sus emociones.

¿Su noche de pasión había terminado? Si era cierto, ella no pensaba contarle cómo se sentía.

Al regresar al dormitorio, Zafir se detuvo al ver a Destiny abrazándose las rodillas y ocultando el rostro entre ellas. Era un gesto que mostraba su inocencia, y reforzaba la idea de la que él estaba convencido. A pesar de su coqueteo y sus palabras provocadoras, era inexperta en el tema sexual.

Destiny era virgen y él la había poseído de manera apresurada, sin preocuparse por darle placer. Su deseo había sido tan intenso que él ni siquiera se había quitado la ropa. No la había seducido, tal y como había planeado, ni había explorado su cuerpo maravilloso. Se había comportado como un joven ansioso en busca de su propia satisfacción.

Zafir había querido ir despacio, seducirla y disfrutar de cada momento del poco tiempo que disponían para estar juntos, pero ella se lo había impedido. Sus besos habían provocado una intensa pasión en su interior, como la que nunca había sentido jamás. No había sido capaz de mantener el control.

Se sentó a su lado en la cama y ella lo miró con una sonrisa forzada.

–Lo siento. Debería haber sido más delicado.

–¿Por qué? ¿Porque soy inexperta y ha sido mi primera vez?

Las palabras de Destiny resultaron dolorosas, pero Zafir no podía analizar lo que significaban para él. No quería recordar que la tradición mandaba que como gobernador y hombre de poder, no debía robar la virginidad de una mujer, a menos que fuera la de su esposa. Trató de no pensar en ello. En aquel momento imperaba la necesidad de arreglar las cosas con Destiny.

Negó con la cabeza y le acarició la mejilla, sujetándole la cabeza para que ella no mirara a otro lado.

–Porque te merecías más que eso. Me he comportado como un adolescente, ansioso, insensible y egoísta.

Ella sonrió.

–No, tú no –soltó una sexy risita–. No eres así, y menos siendo un jeque.

–Y puesto que soy el jeque, deberías haberme contado que eras virgen –le dijo, mientras el sentimiento de culpa se apoderaba de él.

–No es algo que a las chicas nos guste admitir, y menos ante un hombre como tú. Además, ¿esta noche no venías como el hombre que conocí en Inglaterra, y no como el hombre que gobierna en Kezoban? No espero nada de ti, Zafir. Me lo has dejado muy claro. Solo tenemos una noche.

Él sintió una fuerte presión en el pecho y supo que ella tenía razón. Había ido allí como Zafir, el hombre, en un intento de aplacar el sentimiento de culpa que experimentaba por tenerla allí en el palacio. Para cumplir con el deber que tenía hacia su reino había obligado a Tabinah a contraer matrimonio con alguien que ella no deseaba y, sin embargo, él deseaba permanecer junto a Destiny, una invitada en el palacio y una mujer totalmente inapropiada para él.

A pesar de la guerra que libraba en su interior entre deseo y deber, no podía abandonarla todavía. Quizá se había comportado como un joven hambriento de sexo y la había poseído de manera precipitada, sin embargo, deseaba abrazarla contra su cuerpo y darle el placer y la satisfacción que merecía. La deseaba más que nunca y todavía quedaban horas de oscuridad. Aquella seguía siendo su noche. Y el mañana llegaría enseguida.

Despacio, se inclinó hacia ella y la besó en los labios.

–¿Puedes perdonarme? –le susurró.

Ella le acarició la mejilla antes de besarlo y Zafir notó que se incendiaba por dentro. Ninguna mujer lo había hecho sentir tan deseable. Y nunca había perdido el control de esa manera. Sí, hacía mucho tiempo que no había buscado placer con el cuerpo de una mujer, pero esa no era excusa para su comportamiento.

–Solo si me llevas a la cama –dijo ella con timidez y mirándolo a los ojos.

–Te prometí una noche de placer, y quedan muchas horas antes de que amanezca durante las que podré rectificar mis errores.

–Promesas, promesas –bromeó ella arqueando las cejas.

–Esta vez iremos despacio –dijo él, poniéndose en pie y sujetándole las manos para ayudarla a levantarse.

Zafir comenzó a retirarle la ropa y el ambiente se llenó de tensión sexual. Ella levantó los brazos para ayudarlo y después se desabrochó el sujetador y lo dejó caer al suelo, quedándose totalmente desnuda.

–Eres preciosa –dijo él, observando su tez pálida bajo la luz tenue de la lamparilla. Después, posó la mirada sobre sus senos y sus pezones turgentes.

Despacio, se desabrochó la camisa, disfrutando de su mirada deseosa. Dejó caer la camisa sobre la *abaya* que estaba en el suelo y se fijó en el vello rizado de su entrepierna, excitándose todavía más.

–El resto también –dijo ella, dando un paso adelante.

Él sacó varios paquetes del bolsillo y los tiró en la cama antes de quitarse el resto de la ropa y acercarse a ella.

La besó de manera apasionada y le acarició la piel. Era preciosa. Esa noche era suya y, si no pensaba en sus obligaciones, todo era perfecto, como si estuvieran hechos el uno para el otro.

Destiny disfrutó del calor que desprendía la piel de Zafir contra su cuerpo. Tenía los senos tan sensibles que el roce del vello del torso de Zafir provocó que se excitara todavía más. Le acarició la espalda, y el trasero, presionándolo contra su cuerpo.

–Zafir –susurró ella cuando él dejó de besarla. Sentía que estaba a punto de perder el control y tenía ganas de tumbarlo sobre la cama y sentarse a horcajadas sobre él. Nunca había hecho algo así, y no sabía cómo empezar. Sin embargo, con él era diferente, como si su cuerpo conociera el de él a la perfección y supiera qué tenía que hacer.

De pronto, él la tomó en brazos y la llevó a la cama. Ella apoyó el rostro contra su torso e inhaló su aroma masculino. En ese momento, todo su cuerpo se incendió por dentro.

Desnuda, excitada y con manos temblorosas, le acarició el miembro. Él gimió cuando ella comenzó a darle placer.

Momentos después, él le agarró la mano y blasfemó en su idioma.

–Me estás llevando al límite. Cuando llegue al orgasmo quiero que me acompañes, y todavía no estoy preparado, mi pequeña.

Destiny arqueó la espalda cuando él le acarició el vientre y la entrepierna, hasta que comenzó a restregarse contra su mano. Entonces, despacio, la penetró con los dedos y ella cerró los ojos para no perder el control.

–Déjate llevar –susurró él y le cubrió el pezón con la lengua.

De pronto, sintió como si todo estallara a su alrededor y su cuerpo experimentó una serie de sensaciones completamente novedosas.

Despacio, regresó a la realidad y abrió los ojos para ver el rostro sonriente de Zafir. Lo abrazó y lo besó de nuevo. Él la cubrió con su cuerpo y la giró para colocarla a horcajadas sobre él.

Destiny se sonrojó. ¿Cómo sabía que era eso lo que deseaba hacer?

Se inclinó hacia él y lo besó despacio, su larga melena cayó hacia delante, creando una cortina alrededor de ambos. Él le acaricio la espalda y la sujetó por el trasero para acercarla a su miembro y penetrarla con suavidad. Se movieron al mismo ritmo hasta que, de pronto, la realidad se apoderó de ella.

–Zafir –dijo ella, mientras él se movía insistentemente en su interior, como si estuviera a punto de perder el control–. Protección, no hemos empleado protección.

–Ves lo que haces conmigo –jadeó él y se retiró para buscar los preservativos que había dejado sobre la cama.

Ella sonrió y lo besó de nuevo, recibiéndolo de nuevo en su interior momentos después. Era una sensación que no había experimentado jamás. Destiny echó la cabeza hacia atrás mientras él la llevó al éxtasis una vez más, gimiendo al mismo tiempo que ella para mostrarle que habían alcanzado el orgasmo al mismo tiempo.

Durante algún tiempo ella permaneció tumbada sobre él, escuchando cómo disminuía el ritmo de su corazón e inhalando su aroma, consciente de que quedaría grabado en su memoria para siempre. Intentando no pensar en lo que significaba el mañana, se retiró a un lado y se acurrucó contra su cuerpo. Zafir le acarició su espalda desnuda hasta que el sueño se apoderó de él.

Un halo de tristeza los rodeó mientras ella yacía despierta junto a Zafir. Ya nunca podría disfrutar de él. Zafir se lo había advertido, pero ella seguía deseando más. ¿Qué mujer no desearía pasar más tiempo junto al hombre del que se había enamorado?

Zafir se movió y la abrazó contra su cuerpo. Murmuró algo en su idioma y, puesto que ella no lo comprendió, lo besó despacio y sonrió al ver que él le correspondía dormido.

Al amanecer, ella vio que Zafir la miraba adormilado, pero lleno de deseo y el ardor la invadió por dentro. Despacio y con más delicadeza de lo que nunca había imaginado posible, Zafir la poseyó de nuevo, y ella recordó que pronto aparecerían los primeros rayos del amanecer y que aquella sería la última vez que sería suya.

Había sido la primera noche desde hacía un año que Zafir había dormido sin tener pesadillas acerca de Tabinah. Y él sabía por qué. Destiny sonrió tímidamente cuando él abrió los ojos.

–Buenas noches, bella –dijo él, y la besó en los labios.

¿Por qué no podían ser así todas las mañanas? ¿Por qué no podían ser todas las noches como la noche anterior?

Zafir se puso tenso al recordar la respuesta. Ni las noches ni las mañanas podían ser así porque él era el gobernador de un reino y un hombre que tenía que anteponer el deber a sus propios deseos.

–En realidad no quiero... –se incorporó sobre un brazo y la miró. Al ver su cabello oscuro extendido sobre la almohada y cómo lo miraba con asombro, él tuvo que contenerse para no ceder ante el deseo de hacerle el amor una vez más–. No quiero, pero es hora de marcharme. Ya llego tarde a mi paseo de las mañanas, y me gustaría evitar posibles especulaciones.

–Lo sé –ella sonrió y el notó una fuerte presión en el pecho–. Hemos disfrutado de esta noche y ahora hemos de continuar con nuestras vidas.

Él pestañeó asombrado. No esperaba que ella fuera tan sincera y su orgullo masculino se vio dañado al pensar que a ella no le importaba separarse de su lado. Al instante, el deseo que sentía hacia ella se volvió más intenso, pero él debía continuar con su vida y cumplir con su deber, no solo hacia su reino, sino también hacia Tabinah. Había llegado el momento de elegir una esposa.

–Sí, Destiny, ha de ser así.

Pensó en las reuniones que tenía previstas para final de mes con el fin de conseguir una esposa, una mujer con la que tendría herederos para su país.

Apretó los dientes.

De nuevo el deber.

Siempre el deber.

El deber había destruido su relación con Tabinah, obligándolo a tomar medidas drásticas. Esas medidas y el sentimiento de culpa dictaban que cumplir con el deber era su única opción.

Capítulo 7

MÁS tarde Destiny encontró más difícil que nunca concentrarse en su trabajo, sobre todo cuando Zafir se acercó para observarla trabajar con Majeed. Ella apenas podía trabajar, y no dejaba de pensar en él y en el tiempo que habían compartido la noche anterior. Todas las imágenes que inundaban su cabeza provocaban que se le acelerara el corazón. Sin duda, había sido una noche inolvidable, pero había terminado y debían retomar una relación profesional.

Al ver que Zafir la miraba con los brazos cruzados y expresión muy seria, confirmó su idea. Él no esperaba nada de ella que no fuera su profesionalidad, y eso es lo que tendría.

Una noche era todo lo que él había podido darle. Una noche era todo lo que ella deseaba. Una noche para imaginar cómo sería ser amada, pero, desde luego, no había esperado que el día siguiente resultara tan duro. Había pensado que estaba liberándose, disfrutando de los placeres de estar con un hombre como Zafir sin las complicaciones que conllevaba el amor, algo que para su madre había sido el principio de todos sus problemas.

«Céntrate», pensó al ver que Majeed levantaba la arena a su alrededor. Estaba allí para trabajar, y lo que había sucedido la noche anterior no podría formar parte del trato. Sin embargo, por mucho que lo intentara, no era capaz de evitar recordar lo sucedido y así no podía continuar trabajando con Majeed. Y menos con Zafir presente. En una ocasión le había dicho que prefería trabajar sin público, pero quizá había llegado el momento de recordárselo, de volver a tomar el control.

Majeed se detuvo un instante y la miró, como si hubiese notado que estaba distraída. Al menos, Destiny se había ganado la confianza del caballo, pero sabía que ganarse la confianza de Zafir le resultaría imposible. Por el motivo que fuera, y ni siquiera en los momentos apasionados que habían compartido mientras hacían el amor, él había decidido no compartir su alma. Aquella noche, Destiny había visto cómo era el hombre de verdad y cómo sería ser amada por él. Desde entonces, deseaba más, pero sabía que era un sueño imposible.

–Suficiente por hoy –le dijo Destiny a Majeed. El caballo se acercó a ella y esperó a que lo llevara al establo.

–Has conseguido un gran progreso con él –las palabras de Zafir la hicieron estremecer, y no solo porque se mostraba complacido, sino porque estaba muy cerca de ella. Demasiado cerca.

Destiny esperaba que Zafir se acercara a ver su trabajo. Era normal que quisiera saber cómo progresaba su caballo. Lo que no esperaba era que su cuerpo reaccionara de esa manera al verlo. Le ardía la piel, sentía un nudo en el estómago y anhelaba estar entre sus brazos.

Por suerte el mozo de cuadra se acercó para recoger a Majeed. Ella estuvo a punto de volverse hacia Zafir con la esperanza de que él la tomara entre sus brazos y la besara como la noche anterior. Sabía que no podía ser, entonces ¿por qué penaba por algo que nunca había tenido?

–Estoy segura de que podrá salir del palacio antes de que me marche –la idea de regresar a Inglaterra y separarse del hombre al que le había entregado su virginidad era insoportable. ¿Cómo podría dejar atrás lo que compartían?

¿Y qué compartían? Él había dejado claro que solo tenían una noche, que no podrían tener nada más.

–Regresa conmigo al palacio –le ordenó él, sin mirarla y alzando la barbilla.

De pronto, la rabia se apoderó de ella. Él esperaba que obedeciera, demostrándole que era tan controlador como su padre. Al fin y al cabo, era su jefe durante un tiempo. Además, de ser el jeque de un reino. ¿Eso no le daba derecho a querer tener el control?

–No tenemos acompañante –dijo ella, retándolo.

Zafir miró al mozo de cuadra que se alejaba para guardar a Majeed y se volvió hacia ella. Ella no pudo evitar fijarse en sus labios y recordar el beso que había provocado que se incendiara por dentro. Todavía podía sentir el roce de su barba incipiente sobre la piel.

–No me importa. Después de lo de anoche las cosas han cambiado –la intensidad de su voz la sorprendió.

–Nada ha cambiado, Zafir. Dentro de un mes regresaré a Inglaterra y tú elegirás a tu esposa. Lo de anoche no ha cambiado nada. Me lo dejaste muy claro y yo lo acepté.

Él la agarró del brazo y la llevó fuera de las caballerizas con tranquilidad. Nada más entrar en los pasillos del palacio, Zafir se detuvo y ella se volvió para mirarlo.

–¿De veras pretendes que me olvide tan fácilmente de lo de anoche? –preguntó él.

Ella se estremeció.

–Era lo que querías –dijo ella con firmeza, tratando de evitar que él se diera cuenta de lo mucho que ella deseaba que no olvidara lo que había sucedido entre ellos.

–Las cosas han cambiado.

–¿Qué cosas?

–Me diste un precioso regalo y por ello no pienso darte la espalda todavía.

–¿Un regalo?

Zafir se acercó más a ella y Destiny tuvo que esforzarse para no cerrar los ojos al inhalar su aroma.

–Me entregaste tu virginidad, Destiny. ¿Tienes idea de lo potente que es eso? ¿O de lo que significa para mí?

–No lo comprendo –¿intentaba decirle que todavía la deseaba y que lo que habían compartido era especial?

–Ahora eres mía –su voz era tan seductora que

resultaba imposible no mirarlo a los ojos. Zafir no quería darle la espalda, ni a ella ni a la pasión que habían compartido, pero las palabras que dijo a continuación hicieron que Destiny perdiera toda la ilusión–. Esta noche iré a tu habitación.

Así que era eso. No era más que una posesión para él. Antes de que Destiny pudiera decir nada más, el asistente de Zafir se acercó a ellos y ella se preguntó cuánto tiempo llevaba mirándolos y si habría oído la conversación.

La idea de que Zafir acudiera a su habitación por la noche, provocó que Destiny se estremeciera. A pesar de que lo consideraba un gesto de dominancia, cuando él la miró y ella vio deseo en sus ojos, se excitó.

Tras atravesar los pasillos laberínticos en compañía del asistente, Zafir se detuvo bruscamente cerca de la habitación de invitados. Su asistente avanzó unos pasos hacia delante y se detuvo, frunciendo el ceño al ver que Zafir se acercaba a Destiny y le susurraba unas palabras.

–Te enviaré a tu doncella.

–¿A Mina? ¿Para qué?

–A todas las mujeres les gusta que las mimen. Y más cuando están esperando a su amante –la miró fijamente, pero una tosecita de su asistente evitó que no hiciera nada más.

Destiny lo observó darse la vuelta y alejarse.

¿Eso era ella para él? ¿Su amante?

Enseguida tuvo claro cuáles eran las intenciones de Zafir. Mina llegó e insistió en que se diera un baño perfumado antes de continuar con los cuidados a los que Zafir había hecho referencia. ¿Trataba de esa manera a todas sus mujeres? ¿Se había convertido ella en una de sus amantes más recientes?

Al caer la noche, Zafir se dirigió a los jardines del palacio. Durante toda la tarde no había dejado de pensar en Destiny, en su piel pálida, en su cabello sedoso y en sus ojos marrones que siempre tenían cierta mirada de timidez. La imagen de Destiny aparecía en su cabeza a cada momento, tal y como había hecho desde el primer día en que la vio. La noche anterior solo había intensificado la situación.

Una vez más recordó el momento en que se había percatado de que era virgen. ¿Destiny era consciente de las implicaciones que tenía permitir que fuera él quién le robara la virginidad? Ella debería habérselo dicho. Era algo que él necesitaba saber, algo que no tenía derecho a tener. En el fondo, estaba agradecido de que ella no hubiera dicho nada porque, si lo hubiera hecho, no habría podido hacerle el amor y nunca habría experimentado la sensación de plenitud que experimentó la noche anterior. Había sido algo muy intenso, como si estuvieran predestinados a estar juntos.

Al entrar en el pequeño jardín privado de la habitación de Destiny, todo su cuerpo reaccionó. Esperaba encontrarla feliz, esperando su llegada, pero ella estaba acurrucada sobre los cojines del salón, y con una expresión fría y distante.

–¿Te importaría contarme de qué va todo esto? –extendió los brazos para mostrarle la túnica de seda que llevaba. Era como la que llevaban las mujeres de su país, pero al ver a Destiny con ella, Zafir notó que se incendiaba por dentro y deseó quitársela. El tono de sus palabras fue lo que hizo que se contuviera para no tomarla entre sus brazos y continuar con lo que había empezado la noche anterior.

–¿No has disfrutado de los cuidados? –estaba tan sorprendido que ni siquiera podía moverse.

–Cualquier mujer disfrutaría de todo lo que me han hecho esta tarde... Si fuera una mujer de tu harén.

Zafir la miró asombrado. A pesar de que se lo había negado, ella todavía creía que tenía un harén, ¡y que ella era una de sus mujeres! La idea era tan absurda que Zafir no pudo evitar reírse, y eso la hizo enojar todavía más.

Destiny se puso en pie con los ojos llenos de furia. Estaba casi tan bella como cuando su mirada se inundó de pasión la noche anterior.

–No tengo un harén. No es mi estilo. Soy un hombre de honor y he sido fiel a todas las mujeres con las que he mantenido una relación, igual que seré fiel a mi esposa desde el momento en que se anuncie mi matrimonio –el sentimiento de culpa se apoderó de él. Siempre había sido fiel a las normas que su padre le había inculcado desde niño y había mantenido todas las relaciones amorosas lejos del palacio... Hasta la noche anterior. Zafir creía en el honor tanto como en el deber, y eso nunca cambiaría, ni siquiera por una bella mujer occidental que había revolucionado su vida desde el momento en que la conoció.

–Entonces, ¿por qué todo esto? –estiró los brazo otra vez.

–Solo pretendía que estuvieras cómoda. Has trabajado mucho, entre polvo y calor. Pensé que te gustaría sentirte más femenina.

–Bueno, sin duda ahora me siento más femenina –cruzó la habitación y se sentó lo más lejos de él posible.

Zafir la deseaba cada vez más, y sabía que ella no era indiferente a su presencia. Sirvió una bebida fría y le entregó un vaso a Destiny. Después se sentó frente a ella y bebió un sorbo de limonada.

–Me alegra saberlo –la miró a los ojos–. Ahora, me gustaría hablar contigo.

–¿Hablar?

Zafir deseaba llevarla a la cama y poseerla una vez más, pero después de lo que había sucedido la noche anterior necesitaba saber más acerca de su vida, de sus motivos para haber hecho un trato así con él. De algún modo, ella había captado todo su interés, y él deseaba conocerla más. Mucho más.

Al ver que ella estaba a la defensiva supo que debía tener cuidado porque ella podía salir huyendo como un caballo desbocado. Zafir no sabía por qué, pero no podía permitir que ella se marchara.

–Sí, hablar. ¿Tienes alguna objeción?

–No –ella parecía dubitativa–. ¿De qué quieres hablar?

Zafir sabía que tenía que comentarle que su asistente lo había visto salir de su habitación y que le había advertido que ella esperaría más de aquella relación de lo que él podía ofrecerle. Las palabras de su asistente de confianza lo estaban poniendo nervioso. ¿Las paredes del palacio eran tan finas como para que todo el mundo supiera que había pasado la noche con aquella mujer?

La idea lo hizo enfadar tanto como el matrimonio que debía contraer por el bien de su país. No estaba preparado para comprometerse todavía, pero no tenía elección. Necesitaba un heredero.

Destiny sentía que le daba vueltas la cabeza. Zafir había enviado a Mina para que le prestara sus cuidados hasta que toda la habitación se llenó de un aroma exótico. Mina la había vestido con una túnica de seda nueva y, aunque la doncella no le había dicho nada, Destiny estaba segura de que ella sabía que la intención del gobernador era visitarla por la noche. Quizá no tuviera un harén, pero parecía que pasar la noche en la suite de una mujer era algo aceptado y esperado.

Los únicos sonidos que había en la habitación eran los de la anoche en el desierto, pero en su cabeza el latido de su corazón retumbaba con fuerza. Por un lado, sentía rabia al pensar que él había asumido que ella aceptaría sus exigencias y, por otro, se entusiasmaba al pensar que durante unas horas volvería a tenerlo a su lado. Al verlo entrar desde la oscuridad del jardín, le pareció que estaba todavía más atractivo que la noche anterior. Esa noche llevaba su túnica blanca, y ella tuvo que contenerse para no correr hacia él y aceptar lo que le ofreciera, porque esa vez era Zafir, el Jeque de Kezoban, un hombre al que había que obedecer.

–Tenemos que hablar, Zafir –dijo ella.

–Así es –él se colocó delante de ella–. Me gustaría saber más de ti, y de tu vida en Inglaterra.

Zafir la miraba fijamente, y aunque estaban a cierta distancia, ella sentía que estaba cerca. A pesar de que su cuerpo estaba saciado después de que la noche anterior pasara horas entre sus brazos, ella deseaba más. Quería ser suya otra vez.

–¿Es algún tipo de prueba para ver si soy una amante adecuada para el Jeque de Kezoban? –Destiny no pudo evitar mostrarse a la defensiva. Era su manera de protegerse.

–Solo hay una mujer adecuada, ya lo sabes. La mujer que elija para ser mi esposa, la madre de mis herederos –su tono se volvió helador.

Ella sabía que estaba jugando a un juego peligroso, pero debía hacerlo, necesitaba demostrarse que no tenía ningún futuro al desear a un hombre como Zafir Al Asmari, el Jeque de Kezoban.

–Entonces, ¿qué estás haciendo aquí? –preguntó ella. Había perdido la virginidad con él, le había entregado su corazón y, sin embargo, para él no sería nada más que otra mujer. Nunca sería la mujer adecuada.

–Creo que nuestros caminos estaban destinados a cruzarse, tal y como sugiere tu nombre. Tú estabas hecha para llegar aquí, para curar a Majeed. Ahora me doy cuenta de que me has curado a mí, permitiendo que avance hasta el próximo capítulo de mi vida.

–¿Y cuál es el siguiente capítulo? ¿El matrimonio?

¿Por qué se sentía tan desilusionada? Desde un

principio había sabido que él estaba a punto de casarse, que necesitaba un hijo. Y que no podría compartir nada más que una noche con él. Zafir se lo había dejado muy claro y ella había pensado que podría controlar la situación. Sin embargo, su presencia allí le demostraba lo equivocada que había estado. Él había tenido el control en cada momento.

Zafir se acercó a ella.

–Quiero saber por qué –se sentó a su lado.

Al inhalar su aroma ella no pudo evitar recordar la noche que habían pasado juntos, con sus cuerpos entrelazados bajo las sábanas.

–¿Por qué, qué?

–Eras virgen, Destiny. ¿Por qué conmigo? ¿Por qué anoche? –se inclinó hacia ella y la miró con deseo. ¿Recordaba su primera noche juntos con tanta intensidad como la recordaba ella?

–Quería entregarme a un hombre que no pudiera pedir más, un hombre que no pudiera tener control alguno sobre mis sentimientos –se sonrojó y bajó la vista. ¿Cómo podía hacerle esa pregunta? Como si tuviera derecho a saberlo todo acerca de ella...

–¿Y qué esperabas ganar al venir a Kezoban?

–¿Ganar? –preguntó asombrada. ¿Pensaba que se había acostado con él para ganar algo?–. Solo gano una cosa al estar aquí en tu país.

–¿Y qué es?

–Mi libertad.

Zafir la miró sorprendido.

–Explícamelo –le ordenó.

–Mi padre es igual que tú.

Él soltó una carcajada.

–Eso no es posible.

–Lo es. Es un hombre frío, duro e igual de decidido que tú, pero, sobre todo, el rasgo que tenéis en común es la necesidad de controlar a la gente, de dominar. Solo acepté venir aquí para poder escapar de las normas de mi padre y de mi madrastra, igual que hizo mi hermana. Necesito empezar mi nueva vida ahora que ya no tengo que cuidar de Milly.

–Explícame eso –le ordenó furioso.

–Mi madre se casó con mi padre cuando se dio cuenta de que estaba embarazada de mí. Fue un matrimonio que no habría tenido lugar en otra situación. Ella lo amaba, pero él no la amaba a ella. Me habría encantado preguntarle más cosas sobre ello, pero por desgracia murió dando a luz a mi hermana. A medida que Milly y yo nos hacíamos mayores, mi padre se volvió cada vez más controlador. He ayudado a Milly a establecerse en Londres y ahora intento hacer lo mismo.

–¿Y por eso te lo pensaste tanto antes de aceptar venir a Kezoban?

–Exacto. Cuando pensé que estaba tratando con tu asistente... ¿lo recuerdas?

–Entonces, ¿lo que buscas es dinero?

–¿Por qué otro motivo iba a estar aquí? ¿Para qué habría intentado seducirte?

Si él se creía que ella solo estaba allí para conseguir dinero, mucho mejor. Así no se dedicaría a susurrarle palabras cariñosas mientras hacían el amor y el corazón de Destiny estaría a salvo.

–Si solo es dinero lo que quieres, tengo un trato nuevo que ofrecerte.

–¿Qué tipo de trato? –una vez más, había él había conseguido el control.

–En menos de tres semanas tengo que anunciar mi matrimonio. Los matrimonios concertados se basan únicamente en ganancias materiales. Por tanto, me gustaría disfrutar contigo de las semanas que me quedan como hombre soltero.

–¿Quieres decir que pretendes comprarme? ¿Pagarme para que sea tu amante hasta que tomes a una mujer por esposa?

¿Cómo era posible que una noche de pasión se hubiera convertido en algo así? Él le había dejado claro que solo disponían de una noche, sin embargo, le estaba ofreciendo mucho más, tentándola... ¿Y sería suficiente? De forma instintiva, ella supo que debía ser tan fría y calculadora como él. Tenía que exigirle mucho más, comportarse como la mujer que él pensaba que era.

–Solo quiero hacer un trato que nos dé a ambos lo que necesitamos –contestó con impaciencia.

–Muy bien. Dobla nuestro trato original –dijo ella muy seria, deseando que él le pidiera que se quedara a su lado porque la deseaba. ¿Cómo era posible que ella siguiera deseándolo? Su infancia le había enseñado que solo había una manera de lidiar con un hombre así, permanecer tras una barrera protectora y comportarse con la misma frialdad.

Zafir sintió que la rabia lo invadía por dentro mientras Destiny exponía su petición, igual que había hecho el primer día que la vio. Al menos, en esa ocasión conocía sus motivos. Su asistente tenía razón, pero eso no ayudó a que disminuyera la química que había surgido entre ellos.

Por primera vez en la vida, no le importaba nada más. La deseaba a cualquier coste, económico o emocional, no le importaba. Quería pasar cada minuto con ella antes de contraer un matrimonio de conveniencia.

–No hace falta que suene como un negocio serio –dijo él, y se acercó a ella, deseando abandonarse al éxtasis una vez más. Después de que ella hubiera dicho su precio y hubieran hecho un trato, él deseaba volver a como habían estado la noche anterior, cuando no habían tenido más que un encuentro entre amantes.

Ella no se alejó de él y separó los labios. A pesar de su postura tensa, se sentía muy atraída por él. Seguía siendo suya.

–Acabamos de cerrar un trato. ¿Eso no significa que es un negocio serio? –susurró ella.

–Acabamos de hablar de las condiciones del trato, sí, unas condiciones que nos darán los que ambos deseamos –le acarició la mejilla y ella suspiró–. Ahora, olvídalo. Tenemos que explorar la pasión que hay entre nosotros antes de que se convierta en brasas.

–¿Qué hay entre nosotros, Zafir?

Él la miró a los ojos. ¿Cómo iba a responderle si ni siquiera él mismo lo sabía? Zafir no deseaba que hubiera nada entre ellos. A pesar de su nombre, ella no podía ser su destino, su futuro.

–Algo que no debería existir, pero existe –se fijó en sus labios sensuales y deseó besarla. Era como si estuviera poseído. Ella era lo único que deseaba–.

No puedo alejarme de ti, todavía no. No hasta que se haya extinguido la última llama.

–Una noche –susurró ella –. Es lo que dijiste que podíamos tener. Solo una noche. Entonces, ¿por qué más?

–Tengo que cumplir con mi deber, Destiny. He de elegir una esposa entre una lista de mujeres que han elegido para mí. Toda mi vida he vivido cumpliendo con mi deber, y el matrimonio es un deber que no puedo evitar. No obstante, todavía no estoy casado y quiero que tengamos la oportunidad de explorar la atracción que existe entre nosotros. ¿Puedes negar que esa atracción existe?

–Pero...

Zafir acalló su protesta con un beso apasionado, como el de un hombre que había pasado muchos días en el desierto. Al tenerla entre sus brazos y sentir su cuerpo presionado contra el suyo, Zafir supo que, en aquel momento, no le importaba nada más que hacerla suya otra vez. Durante dos semanas se comportaría como un hombre diferente, como si no tuviera ninguna obligación hacia su reino.

Durante dos semanas, ella sería suya.

Capítulo 8

DURANTE dos semanas Destiny había disfrutado de estar con Zafir y tuvo que obligarse a recordar que lo que había entre ellos no era más que deseo, que había ido a Kezoban para asegurar su, futuro y su libertad, fuera de las normas de su padre. Resultaba muy fácil enamorarse de Zafir y solo la idea de que ella no era más que una de sus amantes más recientes evitaba que lo hiciera.

Había momentos en los que había deseado llamar a su hermana para contárselo todo, pero sabía que el hecho de que tuviera una relación como esa con un hombre como Zafir haría que Milly se preocupara por ella y no quería que eso sucediera.

Zafir representaba todo lo que ella siempre había querido evitar en un hombre. Era controlador, dominante y tan atractivo que las mujeres se arrodillarían a sus pies. Y ella había hecho lo mismo, como si estuviera atraída por una fuerza incomprensible a la que era incapaz de resistirse.

A medida que los días pasaban convirtiéndose en semanas, ella sabía que pronto le anunciaría que había llegado el momento de que cumpliera con su deber y eligiera a su esposa. ¿Y cómo podría ella regresar a Inglaterra y olvidar la pasión y el deseo que habían compartido cada noche?

La primera luz del amanecer entró en la habitación, indicando que era el momento de que Zafir regresara a su habitación y a sus obligaciones como Jeque de Kezoban, sin embargo, igual que la noche anterior había sido diferente, aquella mañana también lo era.

Instintivamente, ella sabía muy bien lo que sucedía... El tiempo para estar juntos había llegado a su fin. El deseo insaciable que él había mostrado la noche anterior tenía relación con una despedida, pero a Destiny le habría gustado que él se lo hubiera advertido.

–Hoy me iré del palacio –Zafir se incorporó sobre un codo y la miró–. Estaré fuera una semana por lo menos.

Destiny se esforzó para mantener la compostura y se sentó en la cama, mirándolo. No se atrevía a decir nada, y menos cuando se sentía aturdida por algo que ya sabía que iba a suceder.

Zafir se sentó y la abrazó, besándola de forma apasionada. Ella no pudo resistirse y se acercó a su cuerpo desnudo, cubriéndose ligeramente con la sábana.

–Y cuando regreses, estarás comprometido –comentó ella. Desde un principio había sabido que nunca llegaría a ser nada más que una amante para él, pero a pesar de saberlo, resultaba doloroso.

Él suspiró y se movió para sentarse en el borde de la cama, dándole la espalda. Ella deseó acariciarlo y sentir el poderío de sus músculos, pero él ya no era suyo, aunque ella siempre le pertenecería a él.

–Es mi deber –se puso en pie y, desnudo, se

acercó para recoger la túnica que había dejado tirada en el suelo la noche anterior.

Destiny observó su cuerpo desnudo, tratando de grabarlo en su memoria. Él se cubrió con la túnica y miró a Destiny. El fuego de la pasión ya se había extinguido en su mirada. Era evidente que ya se había distanciado de ella.

–Mi deber es tener un heredero para mi país.

–Lo sé –dijo ella, tratando de mostrar fortaleza–. Mi trabajo con Majeed casi ha terminado y pronto regresaré a Inglaterra.

Trató de recordar por qué estaba allí, y por qué había aceptado trabajar con el caballo de Zafir. Corría peligro de enamorarse de un hombre que nunca la amaría, igual que había hecho su madre. Reproducir la historia de su madre era lo que más temía.

Para Destiny, la maternidad era algo inconcebible, puesto que el motivo de la muerte de su madre era algo que la había impactado desde pequeña, así que, aunque Zafir le propusiera que se casara con él, no podría hacerlo, no cuando tener hijos era algo muy importante para él. Ella no podía arriesgarse a dejar a su hijo sola en el mundo, y menos cuando Milly y ella sabían muy bien lo que era perder a una madre siendo tan pequeñas.

–Ven a mi despacho antes de que me vaya para hablar de los progresos de Majeed –su tono de voz indicaba que había dejado de ser amante para volver a ser jeque. Lo que habían compartido había terminado.

–Como desees. Cuando termine mi trabajo con Majeed iré directamente a tu despacho.

Él se detuvo y la miró. Sus ojos negros brillaban de una manera que ella no había visto nunca. Al ver que él fruncía el ceño, ella agarró la sábana contra su cuerpo. No era así como había imaginado que terminaría su aventura, y menos con esa expresión hostil en su rostro.

Él no dijo nada. La miró fijamente unos instantes y salió de la habitación hacia el jardín. Ella sabía que él montaría a caballo por el desierto y que después sacaría a volar a su halcón, una rutina que llevaba haciendo las dos últimas semanas. ¿Sería su manera de encubrir las noches secretas que habían compartido?

Destiny sintió un fuerte dolor en el pecho. ¿Cómo había permitido convertirse en una amante secreta? Ni siquiera había besado a un hombre antes de llegar a Kezoban. ¿Cómo había cambiado tan drásticamente?

Destiny llegaba tarde. Zafir la esperaba paseando de un lado a otro de su despacho. Seguía enfadado por el hecho de que ella hubiera aceptado que se marchara con frialdad, y porque no fuera capaz de cumplir con su palabra. Se planteó ir a buscarla a los establos. ¿Habría aceptado que terminara su relación con tanta tranquilidad porque pensaba que tenía poder sobre él?

Si era así, estaba muy equivocada. Nadie tenía poder sobre él. Él era el único hijo del Jeque de Kezoban y había aprendido a mandar desde pequeño para no decepcionar a su padre, un hombre al que admiraba y deseaba complacer. Cuando su padre murió, él se convirtió en el gobernador más joven que había tenido Kezoban. Entonces, solo tenía veinticuatro años y, seis años más tarde, había llegado el momento de dejar de hacer lo que quería. Tenía obligaciones hacia su pueblo, e incluso Tabinah había sido incapaz de comprenderlo.

Blasfemó en voz baja y su asistente lo miró con curiosidad. Por primera vez en su vida deseaba no tener obligaciones hacia su país. Anhelaba tener libertad para ser el hombre que Destiny quería a su lado. El hombre que ella necesitaba. Él había roto con otras amantes en numerosas ocasiones, pero nunca le había resultado tan difícil como en esa ocasión. Esa mañana, cuando ella lo miró, él tuvo que esforzarse para recordar que cumplir con su deber era lo prioritario, y eso significaba que debía sacrificar lo que sentía por Destiny. Justo antes de que su padre falleciera, le había prometido que siempre daría prioridad a sus obligaciones hacia Kezoban frente a cualquier otra cosa, y era una promesa que tenía intención de cumplir.

En esos momentos, un sirviente acompañó a Destiny hasta su despacho. Sería la última vez que la vería antes de cumplir con su deber y contraer matrimonio. En realidad, no tenía deseo alguno de casarse, pero después de la muerte de Tabinah era necesario, no solo para que su familia tuviera un sucesor que gobernara Kezoban, sino por la promesa que le había hecho a su padre.

Destiny entró en su despacho y él se fijó que su mirada brillaba con desafío. ¿Aquello le resultaba tan difícil como a él? ¿Anhelaba pasar más noches a su lado? Zafir tuvo que esforzarse para no pensar en ello. Había llegado el momento de cumplir con su deber.

–¿Cómo está Majeed? –le preguntó. No podía preguntarle cómo estaba ella, sino desearía más. Querría abrazarla, besarla y poseerla de nuevo, pero lo había hecho horas antes y no podía volver a suceder.

–Está progresando. Ha respondido muy bien y pronto habré terminado con mi trabajo –lo miró fijamente.

Zafir sabía que su asistente los estaba observando con recelo y la rabia se apoderó de él. Si era tan evidente que había algo entre Destiny y él, entonces, todos sus esfuerzos para proteger la reputación de ambos habían sido en vano.

Nunca había estado con una mujer dentro del palacio. Y el hecho de que Destiny lo hubiera tentado a correr una aventura allí, dejaba claro lo intensa que era la atracción que sentía por ella. Sin embargo, no podía seguir dejándose llevar por ella.

Zafir se volvió hacia su asistente y le dijo con dureza:

–Márchese –habló en inglés para que Destiny pudiera entenderlo.

–¿Señor?

–Déjenos a solas –ordenó Zafir. Después miró a Destiny y vio que ella lo miraba con desafío, pero que estaba más bella que nunca.

–Creía que la discreción era necesaria –dijo ella en cuanto salió el asistente–. Si este numerito no levanta sospechas será un milagro.

–Soy el jeque y estoy a punto de salir del palacio para reunirme con las familias de mis posibles esposas, así que insisto en pasar unos minutos a solas contigo.

Destiny lo miró con furia. Él se fijó en sus labios y recordó cómo se habían besado. Era muy bella, y tenía casi todo lo que él buscaba en una mujer, pero no podía ser. Y si seguía pensando en esa posibilidad sería idiota. ¿Cómo iba a hacerlo después de haber obligado a Tabinah a contraer un matrimonio concertado y de provocar que huyera del palacio en la oscuridad?

–Hemos compartido cada noche de las dos últimas semanas, Zafir. Ya es hora de que cada uno siga con su vida, unas vidas que no deberían haberse cruzado.

Ella permaneció mirándolo con firmeza. ¿Era tan inmune a su presencia que podía despedirse de él como una princesa entrenada para ser distante desde pequeña? Tanto decoro demostraba que podría ser una esposa adecuada.

¿De dónde había sacado esa idea? Nunca había pensado en ella como algo más que una amante, incluso aunque había sido virgen. Provenían de mundos diferentes, y lo único que los unía era el interés por los caballos.

Zafir la miró, como si estuviera contemplándola con otros ojos. Iluminada por la luz del sol, con el desierto detrás y vestida con la ropa de su país, parecía que pertenecía a aquel lugar, como si hubiese sido creada especialmente para ese papel. Y para él.

La mujer que se casara con él debía ser decidida y

voluntariosa. Era imprescindible que las mujeres de su país la admiraran, pero que al mismo tiempo sintieran que era una de ellas. Y lo más importante, tendría que ofrecerle herederos para que Zafir pudiera cumplir la promesa que le había hecho a su padre antes de su muerte.

La furia se apoderó de él. ¿Cómo podía pensar que el matrimonio debía satisfacer sus necesidades, cuando a Tabinah le había negado lo mismo?

–No deberías haberlo echado –las palabras de Destiny hicieron que él volviera a la realidad.

Al mirarla, supo que ella no solo podría ser todo lo que él necesitaba, sino que lo era.

–Tienes razón –se volvió hacia la ventana y contempló el vasto desierto, tan vacío como estaría su vida a partir de ese momento cuando Destiny ya no formara parte de ella. Destiny tenía razón. Su vida estaba en Inglaterra y él tenía un deber hacia su pueblo–. No debería haberlo echado. Ha sido un error.

Se volvió para mirarla y vio que tragaba saliva. Al instante recordó las veces que la había besado en el cuello, mientras ella estaba tumbada a su lado.

No debería tener esos pensamientos. La pasión y el deseo nunca habían sido algo importante en su vida.

–Me marcharé antes de que regreses de tu viaje –dijo ella con tono neutral.

Él tuvo que contenerse para no abrazarla y poseerla de nuevo. De pronto, Destiny se había vuelto una mujer fría. Demasiado fría.

–Como desees –se colocó detrás del escritorio, tratando de mantener su fortaleza. Nunca se había sentido tan débil emocionalmente, pero tampoco había disfrutado nunca de dos semanas apasionadas con una mujer que lo incendiaba por dentro–. Lo organizaré todo. Mina te informará cuando sea el momento.

Destiny abrió los ojos y, tal y como había sucedido los dos días anteriores, después de que Zafir se marchara, un fuerte sentimiento de desesperación se apoderó de ella. Era temprano e intentó dormirse de nuevo, pero el sufrimiento que le provocó Zafir al no mostrar ninguna compasión cuando hablaron en su despacho hacía que se sintiera físicamente enferma.

Se volvió hacia la ventana y, mientras amanecía, recordó a Zafir saliendo de su cama para regresar a su habitación a través de los jardines.

Ese hombre era un hombre distinto al jeque con el que se había encontrado la última vez. Un jeque capaz de disimular sus emociones, provocando que ella dudara de si alguna vez las había tenido. Resultaba difícil asimilar que para él, las dos semanas anteriores solo habían tenido que ver con el sexo.

Destiny pensó que para ella también debería haber sido así, sin embargo, había hecho lo peor. Se había enamorado de Zafir.

Cerró los ojos para aplacar el sufrimiento que le producía saber que él nunca la amaría e intentó ignorar las náuseas que sentía. Deseaba llorar, y ella nunca lloraba. Era una mujer fuete, pero estaba tan destrozada que no tenía fuerza ni para vestirse e ir a los establos.

Por primera vez desde su llegada a Kezoban, no sentía ninguna ilusión por pasar unas horas trabajando con Majeed. Se cubrió el rostro con la almohada e intentó quedarse dormida.

Cuando despertó de nuevo era tarde y Mina le había llevado el desayuno. Esa mañana, desayunar era lo último que le apetecía, así que se levantó de la cama y, sin saludar a Mina, se dirigió rápidamente al baño. Se lavó el rostro con agua fría y se miró en el espejo. Estaba pálida. ¿Cómo era posible que un hombre hubiera traspasado todas sus barreras y atacado su corazón? Ella nunca se había permitido ser vulnerable, convencida de que nunca amaría a un hombre que no le mostrara su amor. Sin embargo, se había enamorado de Zafir.

Al regresar al dormitorio, vio que Mina había servido el desayuno en la terraza con vistas a los jardines. Sin embargo, comer era lo que menos le apetecía. Solo la idea provocó que sintiera náuseas otra vez.

–He preparado un té nuevo para usted –dijo Mina–. Le ayudará a recuperar el color de su rostro.

Destiny estaba demasiado sensible como para discutir, así que se sentó en la terraza y se fijó en el camino que llevaba hasta el jardín privado de Zafir. El mismo jardín que él había recorrido en secreto muchas noches para pasar unas horas en su cama. Algo que no volvería a suceder.

Destiny bebió un sorbo de té y sonrió a Mina.

–Está bueno –la miró–. Creo que echo de menos mi casa.

–¿No le gusta mi país? –preguntó la mujer con el ceño fruncido, y sonriendo después.

Destiny se percató de que echaría de menos a Mina cuando se marchara de allí.

–Me encanta Kezoban. Estoy muy contenta aquí, pero mi trabajo con Majeed casi ha terminado y ya es hora de pensar en regresar a casa. De hecho, ¿podrías organizarlo para que pueda marcharme antes de lo planeado?

Nada más pronunciar aquellas palabras, Destiny sintió que recuperaba el equilibrio. Ese día montaría a Majeed fuera del palacio. El caballo llevaba preparado algún tiempo, aunque ella lo había retrasado para continuar con el sueño que había compartido con Zafir durante dos semanas. Todo eso había terminado. Zafir ya se había cansado de tener una amante secreta y deseaba continuar con su papel de hombre dedicado a su país.

Ella había conseguido lo que quería, distanciarse de su padre y conseguir dinero para comenzar una nueva vida cerca de Milly. Al pensar en su hermana, deseó hablar con ella una vez más. No obstante, tendrían tiempo de hablar cuando regresara a Inglaterra. En aquellos momentos tenía que salvar el último obstáculo con Majeed. Después, su trabajo habría terminado. Era libre para marcharse, pero nunca se liberaría del desierto ni del gobernador de aquel país. Él siempre permanecería en su corazón.

Destiny se vistió con la ropa de trabajo y vio que Mina la miraba con preocupación. Al instante, sus ojos se llenaron de lágrimas al pensar que pronto no tendría a Mina a su alrededor. La mujer era muy agradable y se había convertido en una especie de madre para Destiny. Sin embargo, había llegado el momento de continuar con su vida y de admitir que luchar por su nuevo amor era una causa perdida. Terminaría su trabajo con Majeed y se marcharía.

Varias horas más tarde, sin saber qué hora era del día, Destiny se vio forzada a buscar una sombra para descansar. Había estado disfrutando del trabajo con Majeed, pero de pronto las náuseas, el calor y el cansancio se habían apoderado de ella. Sabía que no debía haber trabajado tanto tiempo seguido. El sol era fuerte y, a pesar de que llevaba la cabeza cubierta con un pañuelo, era como si tuviera el cabello ardiente.

La sombra de unas rocas que estaban al pie de las montañas a las que había ido con Zafir, el día que montaron juntos a caballo, le brindarían un respiro del calor y la oportunidad de que Majeed y ella descansaran.

El caballo permaneció en silencio después de que ella se bajara para sentarse en una roca. Destiny había intentado no pensar en la historia de la hermana de Zafir y la serpiente venenosa, tranquilizándose al ver que Majeed estaba calmado y eso significaba que no sentía peligro alguno.

–Pararemos un momento y luego regresaremos a casa –dijo en voz alta. De pronto, Majeed levantó la cabeza y echó las orejas hacia delante–. ¿Qué ocurre?

Destiny esperaba que el caballo hubiera oído a alguien y no a algún animal, pero al ver que lloriqueaba, se puso en pie y agarró las riendas, tratando de ignorar que estaba mareada.

–Será mejor que nos vayamos.

Haciendo un gran esfuerzo, montó a Majeed y lo apremió para alejarse de las rocas. El animal gimió de nuevo. Ella miró el suelo de su alrededor con nerviosismo, pero al oír el sonido de unos cascos sobre la arena levantó la vista.

Zafir.

¿Qué estaba haciendo allí?

Como si fuera una fantasía, él se acercaba cabalgando y levantando una nube de polvo por detrás. Destiny solo pudo pensar en que él había ido a buscarla, que no podía estar lejos de ella, sino que deseaba estar a su lado.

Cuando Zafir se acercó, Majeed se movió inquieto, pero lo que asustó a Destiny fue la expresión de rabia que tenía Zafir. Una rabia que no concordaba con los pensamientos que ella acababa de tener. Una vez más, se había equivocado.

Zafir detuvo a su caballo y Majeed giró con nerviosismo.

–¿Qué estás haciendo aquí? –soltó ella, tratando de que no se le acelerara el corazón. Tenía un aspecto salvaje y ella no pudo evitar desearlo. Y cuando Majeed continuó moviéndose de un lado a otro, ella sintió que se le revolvía el estómago.

–Yo podría preguntarte lo mismo. ¿Te has vuelto loca? –preguntó él.

–Estaba haciendo mi trabajo. Para eso me contrataste, para que sacara a Majeed del palacio –Majeed seguía inquieto, pero ella trató de centrarse en sus palabras. No se dejaría dominar por aquel jeque.

–Vamos –ordenó él, y giró a su caballo,

Antes de que ella pudiera contestar, él comenzó a

galopar y Majeed se encabritó, esperando a que ella le diera la orden para arrancar. Mientras galopaban, ella tuvo que esforzarse para mantenerse sobre el animal. Finalmente, al ver el palacio, Destiny suspiró aliviada. La cabeza le daba vueltas y tenía el estómago revuelto. Solo deseaba descansar, cerrar los ojos y no pensar en nada.

Zafir notó que le hervía la sangre mientras caminaba delante de Destiny hacia su habitación. Sabía que ella lo seguía, pero estaba demasiado enfadado como para hacerle caso. ¿Cómo diablos se le había ocurrido sacar a Majeed al desierto, sola y con el calor que hacía? La rabia que lo invadió por dentro al enterarse de que ella había adelantado su regreso, se hizo más intensa a medida que cabalgó por el desierto, consciente de que Destiny estaría en el mismo lugar donde él la había llevado el día que montaron a caballo. En la misma zona donde Tabinah había perdido la vida.

Zafir experimentó un fuerte sentimiento de culpa, cerró los puños y entró en la habitación. Mina los esperaba nerviosa, y al ver que Destiny iba detrás de él se mostró aliviada.

–Ahora descansarás –Zafir se volvió hacia Destiny con brusquedad, provocando que casi se chocara con él. El deseo de tocarla era muy intenso, pero no podía hacerlo. Todavía no. Primero tenía que recuperar el control de sus emociones.

¿Cómo había conseguido colarse a través de la barrera que protegía su corazón? ¿Cómo había conseguido que él se preocupara por ella? ¿Y cómo era posible que esa preocupación se convirtiera en algo mucho más profundo, algo que él no era capaz de aceptar?

–Tengo que recoger mis cosas –dijo ella.

Zafir estaba preocupado por la palidez de su rostro, y recordó que Mina le había dicho que ella no se había encontrado bien las dos mañanas anteriores.

–Primero, descansa. Después podrás prepararte para marcharte. Mi avión estará a tu disposición cuando elijas salir de Kezoban.

–He acabado mi trabajo, Zafir. Quiero marcharme mañana.

Zafir se fijó en que Mina arqueaba ligeramente las cejas al ver que Destiny se dirigía a Zafir con mucha familiaridad, pero ya no le importaba lo que pensaran los demás. En ese momento deseaba que Destiny se quedara más tiempo, al menos para que él pudiera comprender qué era lo que ella le hacía sentir. El hecho de que quisiera darle prioridad a ella frente a su deber con el reino, o frente al sentimiento de culpa que tenía por la muerte de Tabinah, era algo completamente desconocido para él.

–Lo comprendo, pero me gustaría celebrar un banquete para ti. En señal de agradecimiento por mi parte.

–No es necesario –cruzó la habitación y se quitó el pañuelo de la cabeza, permitiendo que su melena quedara suelta. Una vez más, Mina los miró con suspicacia–. Me has pagado por hacer el trabajo.

–Es una tradición –dijo él con impaciencia–. Podrás marcharte después del banquete.

Sin esperar su respuesta, Zafir salió de la habitación, sorprendido de ver como una mujer que le parecía tan atractiva podía resultar tan exasperante. No estaba acostumbrado a que sus decisiones fueran cuestionadas, y ella había cuestionado cada una de ellas desde el primer momento.

También había hecho que él se cuestionara su deber, el recuerdo de su hermana y la promesa que le había hecho a su padre.

Capítulo 9

A LA MAÑANA siguiente cuando los primeros rayos del amanecer iluminaron su habitación, Destiny empezó a tener náuseas otra vez. Lo sabía. Ya no podía seguir achacando su estado a que echaba de menos su país. Debía enfrentarse a la verdad. Estaba embarazada de Zafir. Y reconocerlo hacía que la situación fuera mucho más complicada y aterradora.

¿Era posible que fuera verdad, si Zafir siempre había tenido mucho cuidado? «Casi siempre». Solo se habían descuidado una vez, durante la primera noche que habían pasado juntos. ¿Era posible que en ese breve encuentro se hubiera quedado embarazada?

El miedo se apoderó de ella. No era miedo hacia Zafir, era miedo a estar embarazada. ¿Y si se ponía enferma como su madre? Si al menos se hubiera hecho las pruebas para asegurarse de que si se embarazaba no dejaría solo en el mundo a su bebé... Un bebé que no tendría una hermana mayor que lo cuidara, y lo protegiera de la ira de un padre dominante y controlador.

Se cubrió los ojos con las manos, tratando de controlar las náuseas y el temor que sentía. Si tenía al bebé podría morir, pero no era eso lo que más temía, era la idea de dejar sola a su criatura.

Hasta el momento había cometido los mismos errores que su madre, desde enamorarse de un hombre que no quería nada más que tener el control, hasta quedarse embarazada de él.

Por supuesto, a Zafir no le gustaría descubrir que ella estaba embarazada, y menos cuando estaba a punto de contraer matrimonio para conseguir un heredero para su reino. Herederos legítimos. Ella cerró los ojos al pensar en cómo reaccionaría él ante la noticia. Necesitaba ir a ver a su médico, el que conocía la historia médica de su madre. Temía lo que él pudiera aconsejarle acerca del embarazo, pero aun así, no podía contárselo a Zafir todavía.

Tenía que centrarse en salir de Kezoban lo más pronto posible. Sin duda, antes de que Zafir fuera a buscarla aquella tarde.

Recogió sus cosas y respiró hondo. Necesitaba irse a casa. ¿Y dónde estaba su casa? Su padre estaría furioso por el trato que había hecho con Zafir, pero sería mucho peor cuando descubriera que regresaba embarazada. Y eso no podría ocultarlo mucho tiempo. Solo había un sitio donde podía ir: a casa de Milly.

Se vistió rápidamente y se puso el pañuelo de la cabeza. No quería levantar sospechas, y menos de Mina. Le habría gustado despedirse de su amiga, pero era mejor no hacerlo. Por lo que sabía, el avión que había pedido estaría preparado para sacarla de aquel país y alejarla del gobernador del que se había enamorado.

Guardó las últimas cosas y cerró la maleta. Mina podía llegar con el desayuno en cualquier momento. Solo de pensarlo sintió náuseas otra vez, pero trató de controlarlas. Necesitaba estar preparada para marcharse lo antes posible.

Se recolocó el pañuelo, recogió su bolsa y miró la habitación por última vez, en especial, la cama donde había descubierto los placeres del amor, la cama donde le había entregado todo a Zafir y donde había concebido a su hijo. Al pensar en él, las lágrimas inundaron sus ojos. Llorar era algo que no solía hacer, y aunque en los últimos días sentía ganas a menudo, podía dejarlo para más tarde.

Tras un suspiro, se volvió y se dirigió a la puerta. En ese momento, entró Mina con una bandeja y una doncella joven que llevaba una preciosa *abaya* de color morado y dorado. Al verla, Mina frunció el ceño y dejó la bandeja sobre una mesa.

–El jeque solicita su presencia en su despacho tan pronto como haya desayunado.

–Gracias. Iré ahora... Antes de marcharme.

–¿Se marcha? ¿Ahora? ¿Y qué pasa con el banquete de mañana? El jeque le ha enviado un regalo para el evento.

Destiny miró a Mina, sin estar segura de que la mujer empatizaría con ella si conociera todos los detalles. ¿Cómo se le ocurría pensar que podía confiar en una de las empleadas de Zafir? El embarazo estaba nublando su mente. Tenía que marcharse de allí.

–Sí, ahora.

–¿Se encuentra suficientemente bien? –Mina la miró con inquietud.

Destiny tenía la sensación de que Mina sabía que estaba embarazada de Zafir. Recordó la infusión de jengibre que le había preparado unos días atrás. ¿Era posible que Mina lo supiera incluso antes de que ella se diera cuenta?

El miedo se apoderó de ella. Si Mina lo sabía, ¿se lo habría contado a Zafir?

–Por supuesto que estoy bien. Necesito irme a casa, ahora que he terminado mi trabajo con Majeed.

Mina se acercó a ella y le agarró la bolsa.

–Coma un poco y vaya a ver al jeque antes de tomar más decisiones.

–No tengo motivo para quedarme –dijo ella, asustada ante la idea de que Mina hubiera informado a Zafir. No quería una vida vacía de amor y, aunque ella amaba a Zafir, sabía que él no la amaba y que nunca podría amarla. Incluso aunque todo fuera bien y ella pudiera continuar con el embarazo, no tenía ninguna intención de criar a su hijo en la sombra mientras él formaba otra familia con su nueva esposa.

Su madre contaba la misma historia en su diario. Era evidente que su madre esperaba mucho más cuando se quedó embarazada de su primera hija. Había pensado que al tener una hija conseguiría acercarse más al hombre que amaba, pero su padre era un hombre controlador, igual que Zafir. Estaba ansioso de poder y el nacimiento inesperado de una hija no era lo que deseaba, pero cumpliendo con su deber, se había casado con su madre.

El recuerdo de la terrible muerte de su madre, y la

enfermedad de la sangre que ella quizá había heredado, invadió su cabeza. ¿Y si ella también tenía complicaciones con el parto? ¿Qué le ocurriría al bebé si ella también tenía esa enfermedad? Ese era el motivo por el que nunca había deseado casarse o tener hijos.

–Es la hora de desayunar –dijo Mina con cariño.

Destiny estuvo a punto de ponerse a llorar y, por un instante, estuvo tentada de confesarle lo que sucedía. No. Si Zafir no se había enterado, era mejor que no lo hiciera. Él debía tener libertad para hacer lo que dictaba su posición en la vida. Ella no quería impedir que hiciera lo que debía hacer, y menos cuando quizá no era capaz de tener el bebé.

La idea de retrasar el último encuentro con Zafir le pareció atractiva. Si ella se demoraba desayunando, quizá él se ocupara con otro trabajo y no pudiera recibirla. Destiny decidió sentarse a desayunar y trató de parecer encantada con el surtido de pastas y frutas que había en la bandeja, sin embargo, su estómago se revolvió y le resultó imposible comer.

–He preparado té de jengibre otra vez, para ayudarle con las náuseas –las palabras de Mina confirmaron sus sospechas. Por supuesto, conocía los síntomas del embarazo.

Destiny asintió.

–Gracias –no podía decir nada más. Lo único que le quedaba por hacer era ir a ver a Zafir y confiar en que no se hubiera enterado. Después, se marcharía, permitiendo que él siguiera adelante con su matrimonio. Únicamente después de que la viera su médico, podría decidir cómo y cuándo se lo diría a Zafir.

Zafir estaba de pie junto al escritorio cuando Destiny entró. Ella estaba pálida, pero sus ojos brillaban con fuerza. ¿Se habría equivocado? Estaba convencido de que, el día que él preguntó dónde había ido Destiny con Majeed, Mina había insistido en que Destiny no se encontraba bien por las mañanas, y por eso él había comenzado a sospechar.

–Ella no se encuentra bien, Alteza –todavía percibía su preocupación al recordar sus palabras.

–¿No se encuentra bien? –le preguntó Zafir a la doncella.

–Las dos últimas mañanas ha estado indispuesta –Mina había contestado sin su servilismo habitual y mirándolo muy seria, pero él solo había sido capaz de pensar en Destiny montando a Majeed a medio día, cuando ella no se encontraba bien. No queriendo escuchar nada más se había marchado de la habitación, sin embargo, después deseó haber exigido una explicación completa en lugar de conformarse con un par de comentarios acerca de que Destiny tenía náuseas por la mañana.

Entonces, mientras galopaba a través del desierto para encontrarla, supo que si Destiny se había quedado embarazada de él, todo sería diferente. El niño sería hijo suyo, su heredero, y él tendría más obligación hacia él que hacia el matrimonio concertado que iba a contraer. Con toda probabilidad, el hijo había sido concebido la noche que él le había robado la virginidad, y eso los uniría para siempre.

Estaba deseando preguntárselo a Destiny, pero puesto que era un hombre que nunca expresaba sus sentimientos, se encontraba abrumado por la inesperada noticia. Sabía que no podría hablar de ello sin mostrar su entusiasmo ante la idea de ser padre y lo que eso significaba para ellos, que su obligación sería con ella y su hijo, y que podrían estar juntos para siempre.

Deseaba abrazarla, besarla y decirle que cumpliría con su deber, que cuidaría de ella y de su bebé, pero ella todavía no le había dicho nada y era posible que él hubiera malinterpretado las palabras de Mina o incluso que estuviera equivocada. Debía permitir que Destiny le diera la noticia en persona.

Para su sorpresa, Destiny no comentó nada y él se fijó que iba vestida con ropa occidental.

–No puedes marcharte hoy. Mañana se celebra un banquete de despedida. Al día siguiente, mi avión estará disponible para llevarte a Inglaterra –confiaba en que Destiny no necesitara utilizar el avión, pero cuando ella se volvió hacia él, Zafir percibió pánico en su mirada.

Estaba preciosa, pero se mostraba distante. Sus ojos marrones mostraban suspicacia e infelicidad, igual que había mostrado Tabinah durante los meses después de haber anunciado su matrimonio. Él solo había intentado facilitarle la vida, pero le había fallado, provocando que ella montara un caballo al que no era capaz de controlar. Él la había impulsado a hacerlo, y nunca dejaría de sentirse culpable por ello. ¿Habría impulsado a Destiny a distanciarse de él también?

–No es necesario un banquete. Preferiría marcharme ahora...

–Eso no será posible. Es una tradición hacer un banquete para despedir a un visitante. Lo celebraremos y asistirás. Te he enviado una *abaya* nueva para el evento –no podía contarle lo importante que era esa *abaya* para él. Eran sus colores y, cuando ella se la pusiera, todo el mundo sabría que él iba a pedirle matrimonio.

–Tengo que irme, Zafir. Hoy.

–¿Y ofender a mi pueblo? ¿Y a mí?

Ella lo miró sorprendida, pero calmada.

¿Podría estar tan calmada si lo que quería decirle era que iba a tener un bebé? Su bebé. Su heredero...

–¿Me aseguras que podré marcharme después del banquete?

Zafir se acercó a ella y le dijo:

–Podrás marcharte el día después del banquete, si es lo que quieres.

–Es lo que hay que hacer –lo miró con decisión.

–Tienes razón. Ambos tenemos que seguir con nuestras vidas, y ya has terminado tu trabajo con Majeed.

–Exacto –dijo ella, separándose de él–. Ahora permitiré que sigas con tu trabajo.

Ella no había comentado nada acerca de estar embarazada. Zafir no podía permitir que se marchara de Kezoban sin saberlo. La rabia lo invadió por dentro y respiró hondo. No estaba acostumbrado a que le ocultaran información, pero mostrar sus emociones no lo ayudaría. Necesitaba mantener la calma.

–Destiny.

Ella se giró para mirarlo.

–¿Sí?

–¿Ocurre algo más?

–No. ¿Por qué? –Destiny sintió un nudo en el estómago. ¿Lo sabría? ¿Le habría contado Mina el secreto que ella acababa de descubrir? Estaba convencida de que su doncella sabía todo acerca de las noches que habían pasado juntos.

–Me temo que sí ocurre algo más –se acercó hasta la puerta para cerrarla con llave–. ¿Vas a contarme por qué estos días has estado indispuesta?

–Por el calor, supongo –dijo ella, sin mirarlo a los ojos. No era capaz de mirar al hombre que amaba mientras mentía.

«Solo será hasta que estés casado y hayas cumplido la promesa que le hiciste a tu padre... Y hasta que yo sepa si puedo tener al bebé».

Zafir se acercó a ella y Destiny no tuvo más remedio que mirarlo. Se fijó en su mirada de acero y en cómo apretaba los dientes. De pronto, sintió náuseas.

Su cuerpo se convirtió en gelatina y la sensación de desplomarse era muy potente. Entonces, sintió la fuerza de Zafir al sujetarla, percibió su aroma y, al sentir que la estrechaba contra su torso, cerró los ojos abandonándose a su deseo.

Cuando Destiny abrió los ojos estaba en su habitación, tumbada en la cama. Zafir estaba de pie junto a ella. Destiny miró a su alrededor para ver si Mina estaba también.

–Estamos solos –dijo él enfadado.

Ella se sentó en la cama con esfuerzo. Sabía que debía contarle que estaba embarazada, y que además se marcharía y nunca le pediría nada, sin embargo, se sentía incapaz de contarle su temor y que se sentía culpable por no desear al bebé.

Ese temor era el motivo por el que ella se había implicado tanto en su trabajo con los caballos y nunca había buscado formar una familia.

–Zafir, lo que hemos compartido ha sido especial, pero no puede continuar. Nunca podremos estar juntos. Nuestras vidas son muy diferentes.

Él frunció el ceño y la miró.

–A veces las cosas cambian y las diferencias se hacen más pequeñas –dijo él en tono neutral.

–Tengo que regresar a Inglaterra, Zafir.

–No –le ordenó él con brusquedad.

–Tengo que irme.

–Eso ya no es una opción.

–Pero... Tengo que irme –tartamudeó Destiny.

–Hoy no te marcharás. No estás lo bastante bien para viajar, y tiene que verte un médico.

–Entonces, descansaré y me marcharé después del banquete. Solo estoy muy cansada por el calor.

–No te marcharás del palacio sin que yo me entere.

Ella lo miró. ¿Cómo era posible que un hombre tan apasionado se hubiera vuelto tan frío?

–¿No puedo salir del palacio?

–Estás muy pálida otra vez. ¿Quizá debería llamar al médico?

–No –soltó ella. Era lo último que deseaba. No quería que nadie se enterara de que estaba embarazada de Zafir–. Estoy bien. Descansaré y me marcharé mañana.

–No te marcharás mañana ni pasado –la miró con rabia, y ella supo que ya no guardaba ningún secreto. Él lo sabía todo.

–¿Y por qué no?

Zafir se cruzó de brazos y respiró hondo.

–No te marcharás de Kezoban. No mientras lleves a mi hijo en tu vientre.

Capítulo 10

DESTINY no podía hablar, ni siquiera pensar. Al oír las palabras de Zafir se estremeció. Él lo sabía y, peor aún, sabía que se lo había ocultado y que no tenía intención de decírselo. ¿Cómo iba a decirle que no quería estar embarazada porque nunca había sido lo bastante valiente como para hacerse la prueba de sangre? ¿Cómo iba a explicarle que igual había heredado la misma enfermedad que había producido la muerte a su madre?

–No, Zafir, no puedo quedarme –contestó cuando recuperó la voz y se sorprendió al oír la dureza del tono de sus palabras. No sabía si era una manera de protegerse, o si todavía estaba aturdida, pero sus palabras parecían despiadadas.

–No vuelvas a decir eso, Destiny, y menos cuando el niño que llevas en tu vientre es mi heredero.

Al oír su nombre, ella lo miró a los ojos y se estremeció. Zafir ya no la deseaba a ella, lo único que deseaba era al hijo que albergaba en su interior.

–No voy a quedarme. Tengo que regresar a Inglaterra –¿cómo podía haberse vuelto tan frío e insensible, después de todo lo que habían compartido? «Porque no te ama».

–No lo permitiré –se acercó a ella un poco más.

–No puedes mantenerme aquí, Zafir. No seré tu amante secreta. Tengo que irme –no podía decirle que se había enamorado de él y que ni siquiera sabía si podría tener el bebé.

–Y tú no puedes negarme a mi hijo.

Destiny cerró los ojos al oír sus palabras. Cuando los abrió, él seguía mirándola con suspicacia y desconfianza.

Se sentó en el borde de la cama y se puso en pie, tratando de no agarrarse al poste para estabilizarse. Se sentía mareada, pero no podía permitir que él supiera lo débil, confusa y asustada que estaba. No quería que él la controlara, ni él ni cualquier hombre.

No había elección. Por muy difícil que fuera, tenía que contárselo, así que, tragó saliva y lo miró.

–Por el momento no puedo pensar en tener al bebé.

–¿No puedes o no lo tendrás? –preguntó él.

–Mi decisión no es de tu incumbencia. Te prometo que seré discreta, que no te afectará de ninguna manera.

–¿Que no me afectará?

–Tienes que cumplir con tu deber, casarte y seguir con tu vida –se volvió para marcharse de allí–. Y yo con la mía.

–No te atrevas a marcharte de aquí, Destiny. Eres mía y no voy a permitir que te vayas todavía.

Sus palabras lo dejaban bien claro. Él no la amaba, solo la consideraba una posesión. A pesar de las noches que habían pasado juntos, ella no era más que eso.

Sin hacer caso de su advertencia, Destiny se dirigió a la terraza.

–Destiny... No puedes escapar de mí.

–No puedes controlarme, Zafir –se volvió hacia él–. No permitiré que nadie lo haga. Nunca más.

–Ahí es donde te equivocas –contestó con rabia–. Llevas a mi hijo en tu interior.

Ella respiró hondo, tratando de mantenerse en pie. Se sentía muy débil y sentía que podía derrumbarse en cualquier momento. Tenía que regresar a Inglaterra y hacerse las pruebas. Después, se enfrentaría a todo lo que fuera necesario, con el apoyo de Milly. No quería que Zafir se implicara en ello y tampoco que hiciera nada extraordinario por ella.

–Es tu hijo ilegítimo, un hijo que solo te traerá desgracias.

–¿Cómo puedes decir eso? –se colocó delante de ella, provocando que recordara cómo era estar entre sus brazos.

Sin poder evitarlo, ella arqueó el cuerpo contra el de él y cerró los ojos un instante. Al abrirlos, la mirada de Zafir estaba llena de deseo. ¿Era posible que él también hubiera tratado de resistirse a lo que se había forjado entre ellos?

Destiny no podía ceder. La situación se había complicado. Él no querría apoyarla en aquel estado, cuando estaba a punto de contraer matrimonio para beneficiar a su pueblo.

–Nunca hemos tenido nada más que una aventura pasajera. Solo somos dos personas que necesitaban cariño y amor, y que han buscado consuelo en el otro.

«¿Cariño y amor?», Zafir arqueó las cejas y ella lo comprendió enseguida. Aquel hombre no creía en el amor, el deseo era lo único posible para él. Las dos semanas que ella había pasado entre sus brazos habían sido solo una distracción para él, un entretenimiento antes de comprometerse con otra mujer.

–Bueno, al menos, cariño –comentó ella–. El amor no puede entrar en el juego. Tú tienes que casarte y yo tengo que regresar a Inglaterra.

Él asintió y, durante un momento, a ella le pareció ver un rayo de decepción en su mirada. En ese momento, alguien llamó a la puerta y trató de entrar. Zafir dio una orden en su idioma, y ella supo que no les iba a permitir entrar. Cuando la miró de nuevo, él estaba mirándola fijamente.

–¿Ibas buscando el amor, Destiny?

La pregunta la pilló desprevenida, igual que el tono seductor de su voz.

–No. Nunca.

–Entonces, ¿solo deseabas cariño?

–Sí –trató de no pensar en que le había entregado la virginidad y su corazón porque lo amaba–. Solo cariño.

–El cariño es una buena base sobre la que construir un matrimonio –comentó él con delicadeza.

Ella lo miro confusa.

–Sí, supongo que sí, pero nada ha cambiado, ni siquiera con la posibilidad de que esté embarazada. Tengo que irme, Zafir. Lo último que deseo es poner en riesgo tu matrimonio.

¿Deseaba marcharse porque le resultaba muy doloroso pensar en él con otra mujer? ¿Era por eso por lo que insistía en darle la espalda al hombre que amaba?

No. Aquello ya no tenía que ver con ella, ni con Zafir. Solo tenía que ver con el hijo que habían concebido. Necesitaba saber si había heredado la enfermedad de su madre y para ello debía regresar a Inglaterra y hacerse las pruebas.

–No lo harás –Zafir dio un paso hacia ella.

Destiny deseaba tocarlo. Aquello era una locura. Estaba enamorada de un hombre que ni siquiera sabía lo que era el amor. Un hombre controlador. Un hombre que estaba a punto de casarse con otra mujer.

Y para empeorar las cosas, estaba embarazada de él. No tenía opción.

–No hay más que hablar, Zafir. Hemos terminado. Me marcho. Hoy o mañana, no importa, pero me marcho.

–No te marcharás –Zafir contestó con el corazón acelerado. No podía dejarla marchar. Llevaba un heredero en el vientre, pero había algo más. La necesitaba. No había querido admitirlo, huyendo como un hombre asustado desde la primera noche que pasaron juntos.

¿Cómo podía amar tanto a una mujer cuando él había privado a su hermana de amar a un hombre y provocado su muerte? ¿Había ido a visitar a Destiny la segunda noche porque la amaba? ¿O solo porque deseaba hacerla suya? En cualquier caso, se había centrado tanto en el hecho de que debía cumplir con su deber que no se había permitido sentir de verdad.

Lo que sentía por ella no solo tenía que ver con el hecho de haber sido el primer hombre que le hacía el amor. Sin embargo, el hecho de que ella le hubiera entregado su virginidad los había unido para siempre, de un modo que él no creía posible. Amaba a Destiny, y su deber era cuidar de ella y del hijo que llevaba en el vientre. El heredero de Kezoban. La idea de estar unido a Destiny para siempre, la mujer que amaba, no le resultaba nada desagradable. Quizá, con el tiempo, ella llegaría a amarlo. Muchos matrimonios de conveniencia empezaban con personas desconocidas que después se convertían en amantes. Ellos ya habían sido amantes, y no eran desconocidos.

–Tengo que irme, Zafir.

–No permitiré que te vayas –insistió él.

–¿Cuándo llegará tu prometida? –preguntó ella–. Estoy segura de que no le gustará encontrar a tu amante aquí, y menos cuando se sospecha que estoy embarazada. A mí no me gustaría contraer matrimonio con el fantasma de un hijo ilegítimo en escena.

–Al menos en eso estamos de acuerdo –dijo él, mirándola mientras ella se volvía para contemplar el jardín. No estaba siendo justo con ella. Destiny llevaba varios días indispuesta, estaba embarazada y no había motivo para estresarla más. Había llegado el momento de dejar claro cuáles eran sus intenciones–. Mi esposa ya está aquí.

–Más motivo para que me marche ahora mismo –ella se volvió y lo miró. Cuando se disponía a alejarse de él, Zafir la agarró del brazo.

–No puedes marcharte, Destiny. No cuando tú eres mi prometida.

Destiny lo miró asombrada y se mordió el labio inferior. Él deseaba acariciarla, tanto que tuvo que soltarla y dar un paso atrás para no mostrarle lo que sentía por ella, cuando no había hecho más que empezar a comprenderlo.

Le resultaba muy difícil decirle que no podía imaginar su vida sin ella. Nunca había amado a nadie. Cuando el matrimonio de sus padres se destrozó, su madre regresó a su casa familiar y murió siendo una auténtica desconocida para él, cuando Zafir no era más que un adolescente. No, sería mejor que Destiny pensara que solo quería cumplir el deber que tenía hacia su hijo.

–No –dijo ella–. No puedo casarme contigo.

–Sí puedes, y lo harás. El banquete de despedida de mañana se convertirá en el de nuestro compromiso. Al anochecer, todo el reino lo sabrá, y antes de que la luna ilumine el desierto, serás mi esposa.

–¿Estás loco? –negó con la cabeza–. No podemos casarnos.

–Llevas a mi hijo en tu vientre, mi heredero. Y nunca he estado más cuerdo en mi vida.

Capítulo 11

NO. NO puedo –Destiny intentó conseguir que sus piernas dejaran de temblar mientras miraba al hombre del que se había enamorado, el hombre que era el padre de la criatura que albergaba en su vientre... El hombre del que se tenía que separar. No tenía más opción. Lo único que podía hacer era regresar a casa y hacerse las pruebas y para eso, necesitaba el apoyo de Milly.

Él avanzó hacia ella.

–Ese niño es mi heredero, Destiny, y tú no podrás privarme de mi deber como padre. Tampoco te marcharás de Kezoban.

–No puedes retenerme aquí, no cuando lo que deseo es regresar a mi vida y dejar que hagas lo que debes hacer. Has de contraer matrimonio, tal y como habías planeado –sabía que le temblaba la voz y que sus palabras no eran más que un susurro.

–El niño es mi heredero, Destiny.

Ella se mordió el labio inferior, tratando de conseguir una pizca de fuerza interior. Nada.

–Has de casarte por el bien de tu país, Zafir. Y no conmigo –debía hacerle ver que su sugerencia era imposible. Ella no pertenecía a su mundo y, además, no iba a casarse con él porque sintiera la obligación de hacerlo.

Zafir la miró.

–Ahora hay algo mucho más importante en juego, una obligación mucho mayor. Algo más importante que mi país.

Se acercó a ella y Destiny se apoyó contra la puerta.

–No –no podía decir nada más, no podía decirle que no quería que él sintiera obligación alguna hacia ella o su bebé. Ella no quería forzarlo a alterar su vida, o a que se casara con ella por el bebé.

El bebé que ambos habían concebido.

Ella tragó saliva. Estaba repitiendo la historia de su madre. ¿Y si también repetía el resto? ¿Y si se enfrentaba a los mismos problemas durante el parto y dejaba al bebé solo en el mundo? No quería arriesgarse a que su bebé se criara como ella se había criado.

La cabeza le daba vueltas, pero no podía ceder. Tenía que convencer a Zafir de que no tenía ninguna obligación hacia ella. El único motivo por el que ella se casaría con él era por amor, y eso era algo que él despreciaba.

–¿Por qué has mantenido tu estado en secreto?

–¿Mi estado?

–El bebé. ¿Por qué no me lo dijiste?

–No quería decirte nada hasta que no me hubiera visto el médico, hasta estar completamente segura.

–No necesitas regresar a Inglaterra para eso. Yo buscaré todos los cuidados médicos que necesites. Como mi esposa no recibirás más que lo mejor.

Destiny suspiró.

–No te lo he dicho porque nuestro trato era para dos meses, no para el resto de mi vida.

Zafir la miró furioso.

–¿Nuestro trato? –preguntó con incredulidad.

Al ver cómo la miraba, ella sintió miedo. ¿Qué pasaría después? ¿Le gritaría y saldría de la habitación después de humillarla, tal y como había visto hacer a su padre con su madrastra? Otra prueba más de que el matrimonio solo debía basarse en el amor.

Zafir separó la silla de la mesa de la terraza y se sentó, entrelazando los dedos sobre su torso.

–Siéntate –le ordenó–. Tenemos mucho que hablar y no empezaré hasta que estés sentada.

Ella obedeció y se sentó con los brazos cruzados sobre el vientre, como protegiéndolo.

–Nada de lo que digas me hará cambiar de opinión, Zafir.

–Si el tiempo que hemos pasado juntos solo tenía que ver con una ganancia económica, haré un trato contigo para asegurarte todo tipo de lujo durante el resto de tu vida, siempre y cuando nuestro hijo crezca como el heredero legítimo del reino de Kezoban.

–Ni siquiera cambiaré de opinión con esa generosa oferta, y menos cuando yo no deseo a este bebé –comentó, consciente de que haría cualquier cosa con tal de proteger la vida que llevaba en su interior, aunque eso significara tener que ignorar el amor que sentía por aquel hombre. Milly estaría a su lado y si el resultado de las pruebas daba positivo y le tocaba enfrentarse a lo peor, insistiría en que fuera su hermana la que criara al bebé. Al menos, así sería amado, porque Milly siempre había deseado casarse y tener hijos.

–Ya veo –dijo él–. Entonces un trato en el que tú pudieras marcharte de Kezoban después del nacimiento de nuestro hijo sería beneficioso para los dos.

–¿Qué? –Destiny se puso en pie de golpe.

–Te pagaré la cifra que pidas para que te quedes en Kezoban, como mi esposa, hasta que nazca el bebé.

–No pienso dejar aquí a mi bebé. ¿Qué clase de mujer piensas que soy? –¿de veras pensaba que era tan insensible? ¿Y no era eso lo que pretendía que él creyera? Deseaba no haberle dicho nada. Debía haberse marchado sin más.

–Creo que eres el tipo de mujer que solo quiere lo mejor para su hijo, y lo mejor será que se críe aquí, en el palacio, como futuro gobernador de su país –Zafir la miró fijamente.

De pronto, Destiny sintió como si la tierra se moviera bajo sus pies y se sentó rápidamente tratando de disimular su debilidad. La única opción que le quedaba era aceptar aquellas condiciones disparatadas para finalizar la discusión. Al día siguiente tendría que convencerlo de que la única manera de avanzar era permitiendo que regresara a Inglaterra.

Destiny tragó saliva y dijo:

–Si el trato es serio, aceptaré.

–El trato es serio, no lo dudes. Mañana en el banquete se anunciará nuestro compromiso.

Al día siguiente Zafir seguía furioso por lo despiadada y calculadora que había sido Destiny, negociando con su hijo como si no fuera más que un inconveniente para ella. Apenas unos días antes, él pensó que se estaba enamorando de ella. Algo que nunca le había sucedido, pero ¿cómo podía enamorarse de una mujer tan fría? Había conseguido que él pensara que había algo entre ellos, cuando en realidad su objetivo era conseguir un trato que le permitiera vivir bien de por vida.

Al margen de lo que ella hiciera o dijera, la realidad era que había algo entre ellos que los uniría para siempre, algo que él sospechaba que ella no había planeado. Un hijo. Su hijo, y estaba dispuesto a pactar con el diablo si con eso conseguía mantener a su hijo o hija en Kezoban. Pocas horas después anunciaría su compromiso y le diría al pueblo que Destiny iba a convertirse en su esposa. Sabía que la decisión le causaría problemas. Ella era diferente, pero era la madre de su heredero, y eso lo cambiaba todo.

También era la mujer de la que se había enamorado y él había regresado para decirle que solo la quería a ella, pero al enterarse de que ella albergaba a su hijo en el vientre, todo cambió. Los sentimientos ya no eran importantes. El amor o el odio no formaban parte del trato que acababa de cerrar con ella. Lo más importante era el deber.

Zafir estaba sentado en el salón de banquetes mirando a sus invitados, pero estaba más distraído que nunca. No hacía más que mirar hacia la puerta principal, esperando a que apareciera Destiny. Todavía dolido por el comentario que había hecho ella acerca de que no quería a su hijo, no podía creer que tuviera tantas ganas de verla, y sobre todo de abrazarla y besarla una vez más.

Debía recordarse constantemente que ella no era quien él pensaba que era. Los comentarios que había hecho el día anterior habían provocado que disminuyera el amor que sentía hacia ella, pero no el deseo ni la atracción. Si ella confiaba en escapar, se había equivocado. Después de sus comentarios, él estaba más decidido a mantenerla en Kezoban y convertirla en su esposa.

Finalmente, cuando el salón estaba lleno de la élite del pueblo, la vio. La fuerte presión en el pecho que experimentó, lo pilló desprevenido. Ella estaba pálida, y miraba a su alrededor con los ojos bien abiertos. ¿Había dormido o había estado toda la noche en vela como él?

Poco a poco, el bullicio se fue convirtiendo en un susurro y él supo que todo el mundo comentaba acerca de la *abaya* de color morado y dorado que ella vestía. Zafir le había pedido a Mina que se asegurara de que fuera así. Eran sus colores y la marcaban como suya.

Cuando sus miradas se cruzaron desde el otro lado de la habitación, la chispa que siempre se encendía al verla se encendió en el interior de Zafir. Nada podría cambiar eso. Zafir permaneció de pie en el estrado y gesticuló para que la acompañaran hasta donde él estaba. Los invitados se apartaron para dejarla pasar y los susurros se hicieron cada vez más intensos.

Cuando Destiny llegó a su lado, él la agarró de la

mano y comenzó a dirigirse a todos los presentes en árabe. Ella estaba temblando, pero él continuó hablando y sorprendiendo a todos los que esperaban en silencio. Después, repitió lo que había dicho en inglés.

–Os presento a la mujer con la que voy a casarme, una mujer de tierras lejanas, pero cuyo nombre, Destiny, sugiere que el destino la ha traído hasta aquí para convertirla en mi esposa.

Mientras los invitados susurraban asombrados, él miró a Destiny. Sus ojos oscuros, de mirada dulce y delicada, mostraban recelo, y él deseó poder hacer más para calmar sus temores. Deseaba abrazarla y besarla, pero debía seguir el protocolo. Su unión no debía generar ningún reproche, si es que su pueblo llegaba a aceptarla.

Un grito de júbilo se oyó al fondo de la habitación. Enseguida hubo más y él se sintió aliviado.

–Estás siendo bien recibida –dijo Zafir, inclinándose hacia ella–. Mi gente te da su aprobación.

–Cuando descubran la verdad, puede que no estén tan contentos con tu decisión de romper con la tradición y casarte con una extranjera –Destiny habló en voz baja, manteniendo una sonrisa como muestra de felicidad. Ya estaba representando su papel en Kezoban.

–Mi gente está contenta. Han visto que me has hecho feliz y que has borrado la nube negra que había sobre nosotros desde el accidente de Tabinah. Para ellos es un matrimonio por amor –respiró hondo e inhaló el aroma que ella desprendía, al instante, el deseo lo invadió por dentro, mezclado con cierto sentimiento de culpabilidad. No tenía derecho a ser feliz, ni a sentir lo que sentía por esa mujer, pero por el bien de su hijo debía aceptar que era así.

–¿Y qué pasará cuando descubran la verdad acerca del bebé?

–De momento, lo único que han de saber es que nos casaremos dentro de una semana.

–¿Dentro de una semana? –Destiny apenas podía hablar.

Cuando el día anterior hizo el trato con Zafir, solo intentaba dejar la conversación, tener tiempo para estar a solas y pensar sobre lo que realmente necesitaba hacer, pero casarse en una semana no era parte del plan. No podía casarse con él aunque las pruebas dieran negativo.

–No podemos hablar aquí. Iré a verte más tarde –comenzó a sonar la música y la gente se sentó para comer mientras las bailarinas danzaban alrededor. Era algo que ella no había visto nunca. Parecía un sueño, pero era real.

Mina se acercó a ellos con una joven que le ofreció una flor blanca. Destiny la aceptó, y sonrió al darle las gracias.

Al oír que Zafir le susurraba al oído, se sobresaltó.

–Es un símbolo de la fertilidad –Zafir la miró y sonrió. Era una sonrisa de las que iluminaba su mirada, algo que ella no había visto desde la mañana que él se marchó de su cama por última vez–. Mina es tanto una amiga como una sirviente fiel.

Destiny se volvió hacia Mina otra vez, inclinó ligeramente la cabeza y le dio las gracias.

Durante las dos horas siguientes, Zafir permaneció a su lado mientras le entregaban otros regalos simbólicos. La gente se fue animando cada vez más, pero Destiny no podía relajarse, pensando en que Zafir iría a visitarla más tarde. ¿Qué quería de ella? Ya habían acordado como iban a proceder o, más bien, él le había dicho cómo sería. Había tomado el control. ¿Cómo iba a esperar menos de un hombre como Zafir?

–Mina te acompañará a tu habitación –le dijo Zafir mientras ella observaba a las bailarinas–. Yo me reuniré contigo en cuanto pueda.

Destiny sabía que aquella sería la última oportunidad que tenía para arreglar las cosas entre ellos y que, independientemente de lo que hiciera él, ella rompería el compromiso y se marcharía.

–¿Será mejor que Mina se quede conmigo, por decoro? –Destiny no pudo evitar provocarlo y por la manera en que él la miró, supo que lo había conseguido. No debía darle la oportunidad de que le hablara con dulzura, en ese tono sexy que hacía que olvidara todas sus preocupaciones. La única manera de marcharse de allí sin ninguna implicación era enfrentarse a él para conseguir que olvidara aquellas noches ardientes en las que el deseo se apoderó de ambos.

–Mina guardará bien tu secreto, igual que lleva haciendo desde la primera noche que pasamos juntos. Cree que estamos enamorados y hará cualquier cosa para ayudarnos a que estemos juntos –comentó él con delicadeza.

–Entonces, no tengo mucha elección –antes de

que él pudiera contestar, ella se volvió para seguir a Mina hasta su habitación. ¿Por qué todo lo que él decía o hacía se convertía en un obstáculo? No le extrañaba que Tabinah se hubiera escapado. La necesidad de control que tenía Zafir era abrumadora.

Capítulo 12

ZAFIR se detuvo un instante frente a la habitación de Destiny, preparándose para la batalla que estaba a punto de librar. Había algo que la inquietaba, y él estaba dispuesto a descubrir qué era y a buscar una solución que los permitiera unirse en matrimonio y criar a su hijo en un entorno feliz. Quizá para ello debía decirle cómo se sentía. Y si lo hacía, ¿ella llegaría a amarlo? La pasión que habían compartido hacía que fuera plausible, pero ¿era posible obligara a alguien a quererte?

Entró en la habitación sin llamar y encontró a Destiny en medio de la estancia, de pie y con los brazos cruzados. Todavía vestía la *abaya* que él le había enviado para el banquete y, Zafir ni siquiera tuvo tiempo de cerrar la puerta antes de que ella le dijera:

–No quiero casarme contigo –estaba preciosa, pero sus ojos reflejaban rabia y desconfianza. ¿Cómo era posible que lo que habían compartido se hubiera convertido en algo tan desagradable?

–El matrimonio está concertado. Ya lo hemos anunciado. No podemos echarnos atrás. La próxima semana serás mi esposa –cerró los puños al recordar que ella le había dicho que quería estar con él–. Es mi deber casarme contigo, por el bien de mi hijo.

–¿Deber? –preguntó ella.

Él la miró asombrado. Nadie lo había cuestionado nunca, pero ya debería haberse acostumbrado a que lo hiciera aquella mujer.

Se acercó a ella con la intención de convencerla de que el matrimonio era su única opción, que no pensaba tener un hijo fuera del matrimonio y en un país extranjero.

–Sí, mi deber. Algo desconocido para ti.

–¿Cómo te atreves? –preguntó indignada.

–Me atrevo porque haría cualquier cosa por mi hijo.

–Un hijo que no puedo darte –dijo ella con desesperación.

–No te andes con rodeos. Habla con claridad.

–Muy bien. No puedo tener a tu hijo, Zafir, simplemente porque no quiero.

–¿Qué estás diciendo? –preguntó él furioso.

–Que no puedo tener al bebé.

–No permitiré que le hagas nada a mi hijo y, si es necesario, no te perderé de vista hasta que haya nacido.

–Podría costarme la vida –lloriqueó.

Él se quedó de piedra. La agonía que había en su mirada provocó que él sintiera una fuerte presión en el pecho y que le costara respirar. El recuerdo de la noche en que perdió a Tabinah, del sentimiento de culpa que experimentaba desde entonces, se mezcló con la idea de perder a Destiny. Por segunda vez, se enfrentó a la idea de seguir su vida sin ella. Sabía que vivir sin la mujer que amaba sería imposible.

No podía perderla.

–¿Cómo lo sabes? –preguntó Zafir con un susurro, tratando de ignorar el sentimiento de rabia que ella le había generado.

–Mi madre... –ella tragó saliva y cuando continuó le temblaba la voz–. Mi madre murió después de dar a luz a mi hermana pequeña. Tenía una enfermedad hereditaria.

¿Por qué no le había confesado sus miedos antes? Por fin comprendía por qué no le había contado que estaba embarazada. Despacio, le agarró la mano y la llevó hasta los cojines del salón para que se sentara. Él se sentó a su lado y, sujetándole las manos, continuó:

–¿Qué pasó, Destiny?

–Es una enfermedad que se llama *Deficiencia de antitrombina*. Ella ni siquiera sabía que lo tenía y cada embarazo aumenta los riesgos para madre –lo miró con lágrimas en los ojos.

Zafir se contuvo para no abrazarla o consolarla. Era algo que ella necesitaba contarle. Además Zafir ya había alertado a su médico del embarazo y él sabría qué atención médica debía darle.

–Mi madre tenía un diario, pero no volvió a escribir en él después de que Milly naciera.

–¿Y por eso no quieres a nuestro hijo? ¿Crees que podría pasarte lo mismo? –se contuvo para no abrazarla y darle todo el amor que sentía por ella. Destiny le había contado que nunca había buscado el amor y si él confesaba lo que sentía por ella podía ser demasiado–. ¿No pueden hacerte pruebas para ver cómo estás?

–Sí –ella se miró las manos, incapaz de seguir

mirándolo a él. Zafir sintió que se le encogía el corazón. Era evidente que ella no confiaba en él.

–¿Por qué no te has hecho las pruebas?

Destiny lo miró de nuevo y, al ver sufrimiento en su mirada, Zafir se hundió de nuevo. Solo deseaba ayudarla.

–Milly se hizo las pruebas porque siempre ha deseado casarse y tener hijos, pero yo nunca me las hice.

–Porque no querías tener hijos...

–Ni casarme –susurró ella

Zafir la miró asombrado. Él estaba obligándola a hacer todo lo que ella intentaba evitar, y el hecho de que ella se hubiera quedado embarazada había sido error suyo. Recordaba muy bien la primera noche, cuando ella tuvo que recordarle que empleara protección. Destiny estaba sufriendo por su culpa.

–He hecho todo lo que mi madre hizo. Ella se enamoró de un hombre que no la amaba y después tuvo que casarse con él porque se había quedado embarazada.

Zafir sintió como una puñalada en el pecho. Ella estaba enamorada de otro hombre, uno que no la amaba. ¿Habría aprovechado la potente atracción que había entre ambos para borrar el recuerdo del otro hombre?

No podía pensar en eso. Debía centrarse en el hijo que ella no quería por miedo a ponerse enferma, como su madre. Su hijo. Su heredero.

–Te daré la mejor atención médica del mundo. Podrás hacerte todas las pruebas que necesites para asegurarte de que tú y el bebé estaréis bien, pero te quedarás y te convertirás en mi esposa. Criaremos a nuestro hijo juntos, o podrás marcharte cuando haya nacido, pero ha de nacer dentro del matrimonio para que pueda ser reconocido como el heredero legítimo del trono de Kezoban.

–¿Y si no puedo tener al bebé? ¿Y si la prueba sale positiva?

–Cuando te hayas hecho el test sabremos en qué situación estamos.

–Tengo miedo –dijo ella.

–No has de tener miedo, Destiny. Ahora no. Yo estaré contigo en todo momento. Nos enfrentaremos a esto juntos.

–¿Por qué? –preguntó confusa.

–Vas a ser mi esposa, Destiny.

–No puedo casarme contigo, ¿no te das cuenta?

Él negó con la cabeza.

–Sé lo que es crecer a merced de un hombre que nunca quiso convertirse en esposo, y mucho menos en padre –bajó la vista y retiró la mano de la de Zafir–. No puedo hacerte eso, Zafir. A pesar de mi nombre, no soy tu destino.

–No puedo permitir que te vayas –dijo con emoción en la voz, provocando que ella lo cuestionara con la mirada.

–No cambia nada –dijo ella con tristeza–. Aunque pudiera tener un bebé sano y sin perder la vida, no podría casarme contigo.

–¿No te das cuenta, Destiny? Me has entregado tu virginidad y, aunque no hubiésemos concebido un bebé, mi obligación sería casarme contigo. Así es en mi país.

–Yo nunca fui candidata para ser tu esposa. Lo nuestro no era más que una aventura pasajera. Yo era tu última amante, antes de que contrajeras matrimonio. Incluso fuiste a buscar a tu esposa. Tu honor no te lo impidió, entonces, ¿qué ha cambiado?

Zafir recordó cómo se había sentido al conocer a las mujeres que habían buscado para él. En cada uno de sus rostros había buscado a Destiny. La había echado de menos mientras estaba solo en la cama, ella era lo único en lo que podía pensar y por eso había dejado de buscar esposa. Incluso antes de saber que estaba embarazada, él estaba seguro de que ella era la mujer con la que deseaba casarse, pero ¿tenía derecho a casarse con la mujer que quería cuando había obligado a Tabinah a un matrimonio concertado, provocando que fuera tan infeliz como para huir y perder la vida en el proceso?

Por si era poca la confusión que sentía, encima Destiny había admitido que se había acostado con él porque había sido desdeñada por el hombre que amaba. ¿Era posible que el dolor que él sentía en el corazón se debiera a que había sido rechazado por la mujer que amaba? Destiny no podía amarlo porque amaba a otro hombre.

Zafir se puso en pie, consciente de que no podía obligarla a quedarse.

–Te he hecho infeliz, igual que hice a Tabinah. Te daré todo lo que necesites, pero, por favor, quiero que sepas que eres libre para marcharte y tomar tus propias decisiones. No te obligaré a nada.

–¿Y qué hay del deber hacia tu pueblo?

–Sigo teniendo ese deber hacia mi gente, pero

también hacia el bebé que hemos concebido como resultado del amor y el afecto –estaba tratando de ver cómo reaccionaba ella al oírlo mencionar los sentimientos que ella había negado tener hacia él. Zafir comprendía que otro hombre le hubiera robado el corazón a Destiny, pero ella se lo había robado a él y, si se marchaba, se lo llevaría con ella.

Destiny se puso tensa de rabia. ¿Cómo podía decir que habían compartido afecto y amor? Él ya le había dejado claro que no quería saber nada de esos sentimientos, y los estaba empleando como último recurso para que se quedara en Kezoban.

–No era amor, Zafir, era deseo. Puro deseo carnal.

–¿Estás segura? –se acercó a ella, obligándola a que mirara hacia arriba de forma dominante, una táctica que su padre solía emplear a menudo. Ella se puso en pie–. Quizá fue el deseo lo que nos hizo estar juntos, pero ¿y si ahora es algo más? ¿Podrás darle la espalda al amor?

–Decirlo no es suficiente.

–Entonces, te lo demostraré.

Antes de que ella pudiera hacer nada, Destiny estaba entre los brazos de Zafir. Nada más notar el roce de sus labios en la boca, todo su cuerpo reaccionó. Era como si se hubiera incendiado por dentro y, aunque trató de evitarlo, terminó rodeándolo por el cuello para mantenerse cerca de su cuerpo. El deseo que experimentó era tan intenso que apenas podía respirar.

Él le acarició la cabeza, sujetándola para besarla

de manera apasionada y llevarla al límite. De pronto, ella recobró el sentido común, retiró los brazos de su cuello y lo empujó de los hombros con fuerza.

Él la soltó y ella se tambaleó hacia atrás.

–Eso no demuestra nada más que deseo. Y que yo no soy nada, aparte de una amante de conveniencia. Quiero algo más, Zafir, más que eso –comentó con la respiración acelerada.

Zafir también respiraba deprisa, pero tenía una expresión en el rostro que ella no había visto jamás. Era de vulnerabilidad, como si se hubieran caído todas las barreras de protección.

–¿Qué quieres?

–Quiero un matrimonio basado en el amor.

–El amor florecerá entre nosotros, si lo permites... si te olvidas del hombre del que te has enamorado y entregas tu corazón al hombre que te ama.

Destiny lo miró confusa.

–¿Qué hombre?

–Dijiste que habías hecho lo mismo que tu madre al enamorarte de un hombre que no te amaba.

Zafir la agarró de los brazos y la acercó hacia su cuerpo. «Entrega tu corazón al hombre que te ama», ella recordó sus palabras, pero estaba demasiado asustada para decir nada. ¿Y si se había equivocado? Ya era bastante malo que él pensara que amaba a otro hombre, pero si le decía que lo amaba a él, ¿o emplearía como arma para hacer que se quedara a su lado?

–¿Quién es ese hombre? –preguntó él.

Al percibir cierto sentimiento de celos en su voz, ella supo que debía ser sincera con él, aunque pusiera en juego su corazón.

–Es un gran líder, un hombre muy poderoso, el tipo de hombre al que no quería amar.

–¿Quién es, Destiny?

–Tú.

Se hizo un gran silencio y Destiny vio que la expresión del rostro de Zafir pasaba de la incredulidad al recelo. Él no la creía.

–¿Por qué?

–¿Por qué, qué?

–Porque no quieres amar a un hombre como yo. Un gran líder, y un hombre poderoso...

–Porque he pasado veintiséis años bajo el mandato de un hombre que no sentía ni una pizca de amor por mí, su hija. He protegido a mi hermana de sus ataques de ira más veces de las que puedo recordar. Él solo es feliz cuando controla a las personas de su alrededor. Vine aquí porque no podía seguir viviendo así. El trato que hice contigo era mi escapatoria.

Zafir miró a Destiny sorprendido. No solo por el hecho de que hubiera admitido que lo amaba, sino por la historia de su infancia. No le extrañaba que hubiera hecho el trato con él. Estaba desesperada por escapar del hombre que se suponía debía protegerla. Su padre.

–Es cierto que yo soy un líder, pero un líder para mi gente, por el bien de mi país. Jamás trataré de dominar a una persona otra vez.

–¿Otra vez?

–¿Por qué crees que Tabinah se marchó? ¿Por qué crees que montó en mi caballo, un semental al que no podía manejar? Porque la obligué a casarse, la obligué a alejarse del hombre junto al que había crecido, uno con el que pensaba casarse, según descubrí después. Era a él a quien iba a buscar y con el que pensaba escapar. Mi necesidad de controlarla provocó que tuviera un accidente.

Nunca debería haber insistido en que Tabinah se casara con el hombre que él había elegido. Estaban en el siglo XXI y era hora de cambiar. Debería haberse dado cuenta de que ya le habían robado el corazón. La había perdido, y pensó que pasaría lo mismo con Destiny cuando ella le dijo que había entregado su corazón a un hombre que no podía amarla.

Él la amaba.

El silencio de Destiny lo decía todo. Era evidente que ella deseaba no haber admitido que lo amaba.

–Veo que mis palabras te dan la razón. Soy el hombre controlador que tanto temías –le soltó los brazos y le dio la espalda para no ver la acusación en su mirada. Debía marcharse.

–Zafir.

La dulzura de su voz calmó el fuerte latido de su corazón. Él se volvió para mirarla, pero permaneció en silencio.

–El accidente de Tabinah no fue culpa tuya.

–¿Cómo puedes estar tan segura?

–Cuando el amor se interpone, el sentido común desaparece. Independientemente de lo que hubieras hecho, no habría sido diferente. El amor puede hacer que se comentan locuras, como aceptar casarse con un jeque del desierto y quedarse a su lado para siempre.

Él frunció el ceño y se acercó a ella de nuevo. Ella lo miró a los ojos y él percibió amor en su mirada. Era algo tan intenso que enseguida supo que había encontrado a la persona que siempre tendría su corazón. Su destino.

–¿Hablas en serio?

–Sí, pero ¿qué pasa con la prueba? ¿Qué pasará si he heredado la enfermedad que provocó la muerte de mi madre?

–Juntos podremos enfrentarnos a todo, Destiny. Te quiero. Nada más importa. Te quiero a mi lado para siempre. Quiero que seas mi esposa.

–¿Y si no puedo tener hijos? ¿Qué pasará con tu deber hacia el país?

–No te preocupes por eso ahora. Mi médico se ocupará de todo.

–Entonces, si tengo tu amor puedo enfrentarme a cualquier cosa, porque te quiero, Zafir. Y mucho.

Zafir la tomó en brazos y la llevó por el pasillo hasta sus aposentos, ignorando por completo a todos los sirvientes.

–¿Dónde vamos? –preguntó ella con cierto tono de broma.

Él la miró, deleitándose con la dulzura de su rostro.

–A la suite del jeque.

–¿Qué pensará la gente? ¿Y qué pasa con el protocolo?

–Pensarán que estoy locamente enamorado de ti, y tendrán razón.

Epílogo

TENGO un regalo para ti –la voz de Zafir provocó que Destiny se estremeciera de deseo cuando él se colocó detrás de ella y la abrazó.

Destiny miró hacia el desierto que se extendía al otro lado de los jardines del palacio. Durante el año que había pasado allí habían sucedido muchas cosas. Se había casado con el hombre que amaba y había tenido un hijo que se había convertido en lo más importante para los dos. El temor al resultado de las pruebas solo era un recuerdo difuso. Lo único que había heredado de su madre había sido su necesidad de ser amada.

En pocas horas, su hermana llegaría para hacer su visita mensual. ¿Cómo era posible que necesitara algo más?

–No necesito regalos, Zafir –se volvió entre sus brazos y lo miró–. Tengo mucho más de lo que había deseado nunca.

Él la besó con delicadeza, prometiéndole que le daría mucho más placer.

–Este regalo creo que te gustará.

La agarró de la mano y la llevó desde la habitación hasta los establos.

–¿Por qué me llevas por aquí? ¿Has comprado otro caballo?

La sonrisa de Zafir provocó que a ella se le derritiera el corazón.

–Me conoces demasiado bien.

Dispuesta a complacer a Zafir, lo acompañó a los establos, pero nada más entrar se sorprendió al ver a Milly.

–¿Qué haces aquí? Creía que no llegabas hasta por la tarde.

–Ha habido cambio de planes –su hermana sonrió y abrió la puerta de un establo. Destiny miró y se quedó boquiabierta. La yegua que comía en el interior era Ellie, el caballo que su padre le había obligado a vender. Destiny acarició al animal y la yegua respondió olisqueándola.

–¿Cómo las has encontrado? –se volvió hacia Zafir con muchas ganas de llorar.

–Con la ayuda de Milly.

Destiny miró a su hermana.

–¿Y cómo has conseguido guardar el secreto?

–Con mucha dificultad.

Zafir le sujetó las manos y la estrechó contra su cuerpo antes de mirarla a los ojos.

–Hace exactamente un año llegaste a Kezoban. Trajiste contigo la luz y la esperanza de una nueva vida para mí, así que, quería celebrarlo. ¿Qué mejor regalo que un caballo del que tuviste que separarte a la fuerza?

Destiny sonrió a Zafir.

–Te quiero, Jeque Zafir Al Asmari. Te quiero mucho.

–Y yo a ti, Destiny.

Conquistando al jefe

Joss Wood

Cuando el productor de cine Ryan Jackson besó a una hermosa desconocida para protegerla de un lascivo inversor, no sabía que era su nueva empleada ni que se trataba de la hermana pequeña de su mejor amigo. La única forma de llevar a cabo su nueva producción era fingir una apasionada relación sentimental con la única mujer que estaba fuera de su alcance. Entonces, ¿por qué pensaba más en seducir a Jaci Brookes-Lyon que en salvar la película?

Un inesperado beso levantó una llama de pasión

¡YA EN TU PUNTO DE VENTA!